CUISINE DU MONDE
& VINS DE LA VALLÉE DU RHÔNE
L'accord parfait

vins-rhone.com

ĒDITO

Les goûts sont des voyages... Et il suffit parfois d'un repas pour partir très loin. C'est pourquoi nous vous invitons à explorer l'Europe, l'Amérique, le Bassin méditerranéen et l'Asie avec 51 recettes faciles venues des quatre coins du monde. Et parce que les plus beaux voyages se font en bonne compagnie, nous vous proposons de leur offrir les plus fidèles complices : les vins de la Vallée du Rhône. De Vienne à Avignon, capitale des Côtes du Rhône, les vignobles courent sur 200 kilomètres, produisant uniquement des vins d'AOC (Appellation d'Origine Contrôlée) et permettant à des crus corsés, moelleux ou légers, rouges comme blancs, de montrer le bout de leur nez. En présence de mets exotiques, chacun d'eux sait comme nul autre faire chanter les épices, sublimer les accords sucrés-salés, révéler les subtilités exotiques... A vos fourneaux, pour orchestrer la miraculeuse rencontre des hamburgers américains, Bo Bun thaï, pasta napolitaine, tajine marocain... avec ces vins joyeux et chaleureux provenant de vignes cultivées entre lavandes, oliviers et vergers, vivifiés par le souffle du mistral et les chauds rayons du soleil.

Sandrine Giacobetti, Directrice de la rédaction ELLE à Table, France.

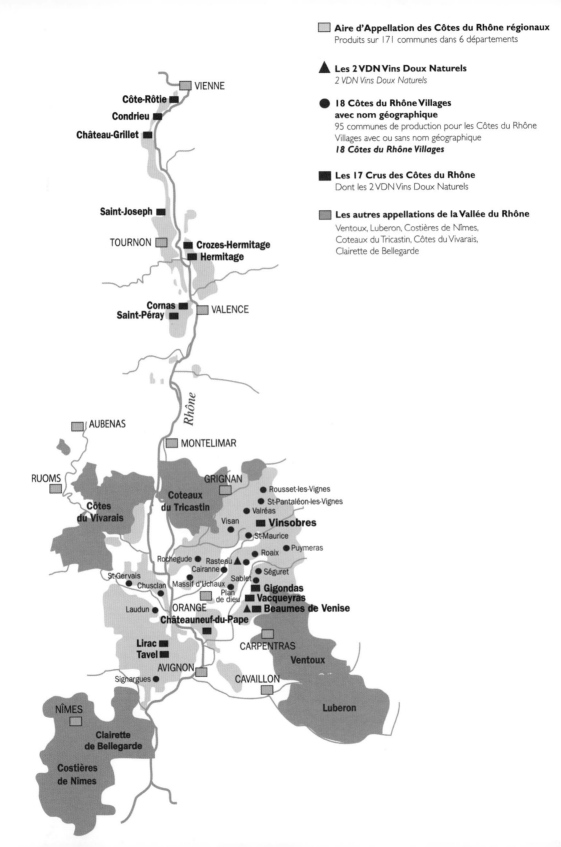

Aire d'Appellation des Côtes du Rhône régionaux
Produits sur 171 communes dans 6 départements

▲ **Les 2 VDN Vins Doux Naturels**
2 VDN Vins Doux Naturels

● **18 Côtes du Rhône Villages**
avec nom géographique
95 communes de production pour les Côtes du Rhône
Villages avec ou sans nom géographique
18 Côtes du Rhône Villages

■ **Les 17 Crus des Côtes du Rhône**
Dont les 2 VDN Vins Doux Naturels

Les autres appellations de la Vallée du Rhône
Ventoux, Luberon, Costières de Nîmes,
Coteaux du Tricastin, Côtes du Vivarais,
Clairette de Bellegarde

VIENNE
Côte-Rôtie
Condrieu
Château-Grillet

Saint-Joseph
TOURNON
Crozes-Hermitage
Hermitage

Cornas
Saint-Péray
VALENCE

Rhône

AUBENAS
MONTELIMAR

RUOMS
GRIGNAN
Coteaux
du Tricastin
Côtes
du Vivarais
Rousset-les-Vignes
St-Pantaléon-les-Vignes
Valréas
Visan
Vinsobres
St-Maurice
Puymeras
Roaix
Rochegude
Rasteau ▲
Cairanne
Séguret
St-Gervais
Chusclan
Massif d'Uchaux
Sablet
Plan
de dieu
Gigondas
Vacqueyras
Laudun
ORANGE
Beaumes de Venise
Châteauneuf-du-Pape
CARPENTRAS
Lirac
Tavel
Ventoux
AVIGNON
Signargues ●
CAVAILLON
NÎMES
Luberon
Clairette
de Bellegarde
Costières
de Nîmes

SOMMAIRE

© Christophe Gollé

Vins et merveilles du **Rhône**

Côtes du Rhône,
le plaisir avant tout

Sur les coteaux ensoleillés de la Vallée du Rhône mûrissent les raisins qui donneront naissance aux vins des Côtes du Rhône. Tout respire la Provence dans ce coin de France préservé et authentique.

DIVINE VALLÉE DU RHÔNE

Dans le sud-est de la France, entre Lyon et Avignon, se déploient les vignobles de la Vallée du Rhône. Au nord, la vigne a colonisé les coteaux escarpés bordant étroitement le fleuve tandis que, au sud, elle prend ses aises et s'étend à perte de vue jusqu'aux contreforts des Alpes et du Massif Central. Elle partage son territoire avec les champs d'oliviers et de lavande, au cœur d'une Provence authentique qui fleure bon la garrigue. Cet environnement préservé bénéficie, en outre, d'un patrimoine historique exceptionnel : Théâtre Antique d'Orange, Arènes de Nîmes, Pont-du-Gard, Palais des Papes d'Avignon...

LE PARADIS DES GÉOLOGUES

Il y a plusieurs millions d'années, sculptée par de puissants mouvements telluriques, noyée sous des mètres d'eau de mer, creusée et façonnée par le Rhône, la Vallée du Rhône aurait pu devenir un enfer. Mais les lois du paysage en ont fait un paradis où les collines succèdent aux vastes plateaux. Ces terroirs aux sols et aux expositions variés forgent le caractère unique des vins des Côtes du Rhône. Cette riche histoire géologique a donné naissance à de bien belles légendes, comme celle, au Moyen Age, du seigneur de Maugiron qui aurait partagé ses terres à Côte-Rôtie entre ses filles, l'une brune, l'autre blonde. Effectivement, la Côte-Brune possède un sol plutôt sombre à base d'argile et d'oxyde de fer, tandis que le sol de la Côte-Blonde est clair, à base de silice.

UNE LONGUE HISTOIRE VITICOLE

1737, port de Roquemaure. Sur le Rhône, les embarcations se pressent pour charger les précieux tonneaux à destination de Paris, de l'Angleterre et de la Hollande. Tous portent la marque « CDR » gravée à feu, qui atteste que le vin provient bien des célèbres vignobles de la « Côte du Rhône ». Ainsi est né le nom de cette appellation dont la tradition viticole remonte à l'Antiquité. Pline l'Ancien, dans son « Histoire naturelle » (Ier siècle après J.-C.), remarque la qualité des vins produits dans la Vallée du Rhône. Celle-ci n'échappe pas non plus à Thomas Jefferson, futur président des Etats-Unis, qui l'évoque dans ses notes de voyage en Europe, à la fin du XVIIIe siècle.

DES CRUS RENOMMÉS DEPUIS LE XVIIe SIÈCLE

Exposé plein sud, protégé du vent du nord et des gelées de printemps, le coteau de l'Hermitage est déjà réputé au XVIIe siècle. Son vin fait le bonheur de la cour du tsar de Russie, Louis XIV en offre à Charles II, roi d'Angleterre, pour fêter la restauration de la monarchie. Les Côtes du Rhône sont également exportés dans les pays d'Europe du Nord, voyageant sur des bateaux parfois emprisonnés par les glaces durant de longs mois. Comment, enfin, ne pas faire référence au village de Tavel, dont le vin rosé est mentionné dans une transaction datant de l'an 897, et que le roi Philippe le Bel appréciait tout particulièrement.

AVIGNON, CAPITALE DES CÔTES DU RHÔNE

Quel luxe d'avoir pour capitale une cité papale ! Au XIVe siècle, Avignon fut en effet le refuge des papes fuyant l'insécurité de Rome. Là, ils firent construire le plus grand palais gothique d'Europe tandis que leurs cardinaux s'installaient dans de somptueuses demeures. Habitués aux fastes de la cour pontificale, ils firent prospérer les artisans et les commerçants locaux mais furent surtout à l'origine d'un fort développement du vignoble, à commencer par celui de Châteauneuf-du-Pape. Véritable cité médiévale encore entourée de ses remparts, Avignon la méridionale est surnommée la ville sonnante tant est grand le nombre de ses clochers.

UNE RÉGION À FORTE TRADITION PROVENÇALE

Ce n'est pas un hasard si la Provence fait rêver. Certes, elle bénéficie d'un climat ensoleillé mais elle offre surtout une riche culture. Une tradition vivace rythme encore la vie des villages et il n'est pas rare d'assister à une fête puisant ses racines aux premiers temps du Moyen Age. A Visan, par exemple, la fête du vin est célébrée par la confrérie des vignerons depuis 1475. On élit à cette occasion un « roi », une « reine » et un « lieutenant » qui défilent en costume d'époque dans le village, derrière une souche fleurie. Celle-ci est ensuite brûlée selon la coutume au milieu des rondes folkloriques.

La magie
des terroirs rhodaniens

Au fil des siècles, les vignerons ont enrichi leur connaissance des terroirs, cultivant chaque variété de vigne selon le sol et l'ensoleillement. Le climat, sec et venté, leur a permis de mettre en œuvre une viticulture respectueuse de l'environnement.

UNE PYRAMIDE QUI TEND VERS L'EXCELLENCE

Il est parfois difficile d'expliquer la qualité d'un terroir. En revanche, on la perçoit avec le degré d'excellence des vins qui y prennent naissance. Au sommet de la hiérarchie des Côtes du Rhône, quinze crus tendent vers la perfection : du nord au sud, Côte-Rôtie, Condrieu, Château-Grillet, Saint-Joseph, Cornas, Saint-Péray, Hermitage, Crozes-Hermitage, Vinsobres, Gigondas, Vacqueyras, Beaumes de Venise, Châteauneuf-du-Pape, Lirac et Tavel, ainsi que deux vins doux naturels : le Muscat de Beaumes de Venise et le Rasteau. Juste après viennent les Côtes du Rhône Villages. Parmi les plus connus, citons le Cairanne, le Valréas, le Plan de Dieu ou encore le Laudun et le Chusclan. Enfin, les Côtes du Rhône régionaux, accessibles et variés, constituent la clé d'entrée idéale pour découvrir les vins locaux. A côté de cet ensemble majeur, la Vallée du Rhône compte d'autres appellations régionales : Ventoux, Luberon, Coteaux du Tricastin, Costières de Nîmes...

L'ART D'ASSEMBLER LES CÉPAGES

Difficile exercice que celui d'assembler les différentes variétés de raisin, que l'on appelle cépages. Là réside pourtant tout le secret des Côtes du Rhône. Dans les vins rouges, le grenache apporte de la rondeur et du gras, la syrah sa belle couleur et ses arômes de violette. Quant au mourvèdre, il confère au vin de la structure et une bonne aptitude au vieillissement. Et, comme dans toute bonne recette de cuisine, chacun possède son tour de main : quelques touches de carignan, un peu de muscardin... Les vins blancs également sont un subtil assemblage entre la rondeur du grenache blanc, les arômes du viognier ou de la roussanne, la pointe de fraîcheur du picpoul...

VENDANGES DANS LA VALLÉE DU RHÔNE

Dès la fin du mois d'août, les contrôles de maturité du raisin se multiplient dans les exploitations. Un œil sur le ciel, l'autre sur les ceps, le vigneron choisit le moment propice pour débuter les vendanges. Traditionnellement, on proclame le « ban des vendanges » qui confirme que le raisin est prêt à être récolté. Du sud au nord de la Vallée du Rhône, une armada de vendangeurs se met alors en mouvement pour cueillir les grappes et les acheminer vers les caves. Les vendanges dureront jusqu'au début du mois d'octobre dans les secteurs les plus tardifs. Une fois la récolte mise en cave commence le lent travail d'élaboration du vin.

UNE VITICULTURE RESPECTUEUSE DE L'ENVIRONNEMENT

Dotée d'un climat plutôt sec, la Vallée du Rhône est aussi connue pour son mistral, ce vent du nord qui souffle été comme hiver. Sous son influence, les vignerons mettent en œuvre une viticulture respectueuse de l'environnement car il assainit l'air et favorise le mûrissement du raisin au moment de la récolte. Le nombre d'exploitations se convertissant à l'agriculture biologique augmente d'ailleurs chaque année, et ce n'est pas un hasard si le Mont Ventoux est classé « réserve de la biosphère », si le vignoble du Luberon est entièrement inclus dans le Parc naturel régional et si ceux de Côte-Rôtie et des Dentelles de Montmirail postulent au Patrimoine mondial de l'Unesco.

À VOTRE SANTÉ !

Les vins des Côtes du Rhône sont riches en polyphénols, ces composés à l'origine de la couleur rouge. De très sérieuses études scientifiques montrent que, associés à l'alcool et dans le cadre d'une consommation régulière et modérée (un à deux verres par jour), les polyphénols assurent une prévention efficace contre les maladies cardiovasculaires. Par ailleurs, on découvre aujourd'hui que cet effet santé du vin ne se limite pas à ces pathologies mais qu'il contribue aussi à lutter contre le vieillissement, l'obésité, le diabète et la maladie d'Alzheimer.

DES VINS EXPORTĒS DANS PLUS DE 145 PAYS

Deuxième plus grand vignoble d'Appellation d'Origine Contrôlée en France, la Vallée du Rhône fait preuve d'un dynamisme commercial remarquable. Les vins des Côtes du Rhône sont en effet exportés dans plus de 145 pays à travers le monde.

A **table** avec les vins des Côtes du Rhône

Grâce à leur diversité, les vins des Côtes du Rhône peuvent à la fois plaire au plus grand nombre et contenter les palais les plus exigeants. Mais leur immense avantage est de s'accorder facilement avec tous les styles de cuisine.

UN VIN AOC « MADE IN FRANCE »

« Appellation Côtes du Rhône Contrôlée ». Sur chaque bouteille, cette mention indique que le vin provient exclusivement du terroir délimité « Côtes du Rhône » et que sa qualité est soigneusement contrôlée. Concept français par excellence, l'AOC puise sa source dans la longue tradition viticole du pays. Sur l'étiquette, on trouve également d'autres indications utiles comme le nom du domaine qui a élaboré ou mis le vin en bouteilles, le degré d'alcool, la contenance…

UNE TRÈS LARGE PALETTE AROMATIQUE

Approchez et sentez ! Les vins rouges des Côtes du Rhône exhalent des arômes de cerise, de cassis, de framboise, une pointe de réglisse et même quelques touches de cannelle. Goûtez et percevez leur côté épicé et un peu poivré. Cette large palette aromatique est particulièrement intense dans leur jeunesse. Sur les Côtes du Rhône Villages et les crus, elle évolue avec le temps vers des arômes de sous-bois et de truffe. Quant aux vins blancs, ils sont réputés pour leurs délicats arômes de fleurs blanches rehaussé d'une pointe de tilleul ou de fruits exotiques. Appréciez, enfin, le délicat bouquet des rosés, savoureux mélange de groseille et de pain grillé… Un délice !

UNE FRAÎCHEUR BIENVENUE

Sans en faire tout un cérémonial, il convient de respecter quelques règles de service pour apprécier pleinement les qualités des vins des Côtes du Rhône. La température est un point important : autour de 13-15 °C pour les vins rouges jeunes et jusqu'à 18 °C pour les autres. Ne pas dépasser 12 °C pour les blancs et les rosés. L'emploi de verres à pied est indispensable pour percevoir l'intensité et la palette des arômes. En revanche, la mise en carafe n'est nécessaire que pour les très grands crus. Dernier conseil : servez plutôt les vins blancs avant les rouges, et les vins jeunes avant les vieux.

Photo © Jean-Claude Amiel

UN ESPRIT « ART DE VIVRE À LA FRANÇAISE »

Convivialité. Tel est le maître mot qui préside à la dégustation des vins des Côtes du Rhône dans un esprit « Art de vivre à la française ». Parfaits compagnons d'un repas entre amis, ils peuvent aussi constituer un apéritif très agréable. Détendez-vous et pensez à ces vers du poète anglais lord Byron : « Le vin console les tristes, rajeunit les vieux, inspire les jeunes et soulage les déprimés du poids de leurs soucis. »

CHAMPIONS DU MONDE !

Dans son « Top 100 » 2007 des meilleurs vins du monde, le magazine américain « Wine Spectator » a classé en tête un Cru des Côtes du Rhône. Mais, d'une façon générale, sur la trentaine de vins français que compte le classement chaque année, les Côtes du Rhône sont toujours bien représentés avec une dizaine de références.

Évasion en Europe

L'Europe cultive un goût affirmé de la différence, parfaitement adapté à la palette aromatique des vins des Côtes du Rhône. Pour preuve, le risotto italien au vin rouge dégusté à quelques encablures seulement des pissaladières niçoises. Ou encore ce cœur de filet de rumsteck en croûte d'épices qui fait la jonction avec les saveurs sucrées du carré de porc et pommes aux lardons.

Europe

CARRÉ DE PORC ET POMMES AUX LARDONS

Plat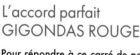

Pour 4 personnes

Préparation : 15 mn/Cuisson : 1 h 15

1 petit carré de porc de 4 côtes,
4 belles pommes reine des reinettes,
2 tranches de lard fumé de 1 cm d'épaisseur,
1 beau bouquet de sauge,
60 g de beurre,
sel, poivre du moulin.

● Otez la couenne de la poitrine fumée, puis détaillez-la en lardons. ● Lavez, puis videz les pommes. Lavez, puis séchez la sauge. ● Badigeonnez de beurre le carré, salez-le, poivrez-le et posez-le sur un lit de feuilles de sauge dans un plat à four. ● Disposez autour les pommes évidées. Enfoncez dans chacune 2 feuilles de sauge, 1 noix de beurre et 2 lardons. Posez les lardons restants dans le fond du plat. Enfournez à froid pour 1 h 15 de cuisson, th. 6/180°. Contrairement aux viandes rouges, la cuisson des viandes blanches se commence à four froid. ● Arrosez la viande et les pommes avec leur jus plusieurs fois en cours de cuisson. ● Vous pouvez demander à votre boucher de désosser et de rouler le carré de porc en rôti. Dans ce cas, ficelez-le en le couvrant de feuilles de sauge. ● Choisissez de grosses pommes à la peau épaisse (c'est mieux pour les pommes au four) qui cuiront au même rythme que le carré.

L'accord parfait
GIGONDAS ROUGE

Pour répondre à ce carré de porc parfumé à la sauge, rien de tel qu'un Gigondas rouge, lui-même issu de terroirs entourés de garrigues. Vin à forte personnalité, ample et puissant, il développe un subtil bouquet d'épices qui épousera les saveurs aigres-douces du plat.
Autre proposition : Côtes du Rhône Villages rouge.

Europe

CŒUR DE FILET DE RUMSTECK EN CROÛTE D'ÉPICES

Plat 〽〽

Pour 4 personnes

Préparation : 5 mn/Cuisson : 6 mn

4 pavés de cœur de filet de rumsteck,
1 c. à café de poivres mélangés,
quelques grains de poivre du Sichuan,
1/2 c. à café de graines de coriandre,
1/2 c. à café de cumin en poudre,
1/2 c. à café de piment en poudre,
30 g de beurre,
huile d'olive,
sel de Guérande.

● Mettez les poivres et la coriandre dans le bol d'une petite moulinette électrique. Mixez-les quelques secondes par à-coups jusqu'à ce qu'ils soient grossièrement concassés et répartissez-les sur une assiette en mélangeant avec le cumin et le piment. ● Enduisez les faces des pavés d'huile d'olive avec un pinceau ou du bout des doigts. Posez les pavés sur les épices des deux côtés. ● Faites chauffer un morceau de beurre dans une poêle antiadhésive et, dès qu'il est bien chaud, faites cuire les pavés sur feu assez vif 3 mn de chaque côté. Salez-les. Servez aussitôt avec un gratin de pommes de terre.

L'accord parfait
CÔTE-RÔTIE

Viande rouge et Côte-Rôtie... Fabuleux mariage, rouge sur rouge, ton sur ton... Les arômes intenses de ce grand vin de la Vallée du Rhône sauront s'harmoniser avec la croûte d'épices enrobant le rumsteck, tandis que sa puissance amplifiera la tendre saveur de la viande.
Autre proposition : Saint-Joseph rouge.

Europe

FARFALLE AUX PETITS LÉGUMES

Plat

Pour 6 personnes

Préparation : 10 mn/Cuisson : 9 mn

300 g de farfalle (papillons),
1 carotte fane, 1 petit oignon blanc,
4 mini-courgettes, 8 tendres asperges vertes,
16 haricots verts, 1 gousse d'ail, 1 branche de basilic,
4 c. à soupe d'huile d'olive,
1 l de bouillon de volaille instantané chaud,
2 c. à soupe de févettes, 2 c. à soupe de petits pois,
2 c. à soupe de pesto, sel, poivre du moulin.

● Lavez et séchez les légumes : pelez la carotte et l'oignon, puis détaillez-les en rondelles d'environ 5 mm d'épaisseur. ● Tranchez les mini-courgettes en rondelles ou en bâtonnets. ● Coupez les pointes d'asperges et taillez la partie tendre en rondelles. ● Equeutez puis coupez en trois les haricots verts. ● Pelez, dégermez et écrasez l'ail. ● Ciselez le basilic. ● Faites chauffer 2 c. à soupe d'huile d'olive dans le Pasta Pot, puis ajoutez l'oignon, l'ail, la carotte, les asperges et les haricots verts. Faites-les revenir doucement 3 mn à couvert. Salez, poivrez et ajoutez les pâtes. Prolongez la cuisson ainsi 3 mn, puis couvrez d'un peu de bouillon bien chaud. ● Remuez avec la cuillère pour dissoudre les sucs de cuisson et portez à frémissements. ● Faites cuire les pâtes aux légumes encore 4 mn en les remuant régulièrement et en les couvrant de bouillon au fur et à mesure que celui-ci s'évapore. ● Ajoutez les févettes, les petits pois, les courgettes et poursuivez la cuisson 2 mn. ● Au moment de servir, hors du feu, ajoutez le pesto, le reste d'huile d'olive et le basilic ciselé. Mélangez et régalez-vous aussitôt.

L'accord parfait
CÔTES DU RHÔNE ROUGE

Des pâtes en forme de papillon et des légumes primeurs, ce plat fleure bon le jardin au printemps. Rien de tel qu'un Côtes du Rhône rouge aux parfums de fruits rouges et d'épices pour lui donner de l'ampleur et beaucoup de convivialité. Autre proposition : Saint-Joseph rouge.

Europe

FISH AND CHIPS

Plat ♔♔♔

Pour 4 personnes

Préparation : 20 mn/Repos : 1 h/Cuisson : 30 mn

4 filets de cabillaud de 60 g,
4 filets de saumon de 60 g,
4 morceaux de haddock de 60 g,
1 kg de pommes de terre charlotte,
farine, sel, poivre, huile pour la friture.
<u>Pour la pâte à beignets :</u>
220 g de farine avec levure incorporée, 20 cl de bière blonde ou d'eau gazeuse, 1 œuf, sel.

● Pelez et coupez les pommes de terre en bâtonnets et laissez-les tremper dans de l'eau. ● Mélangez, tout en fouettant, la bière (ou l'eau) avec l'œuf, la farine et 1 pincée de sel, jusqu'à obtenir une pâte homogène. Laissez reposer pendant 1 h. ● Egouttez les pommes de terre et séchez-les, mettez-les dans l'huile de la friteuse préalablement chauffée à 150° et faites-les frire jusqu'à ce qu'elles soient juste dorées. Egouttez les frites et réservez-les. ● Faites chauffer la friteuse à 180°. ● Passez les morceaux de poisson dans un peu de farine légèrement salée et poivrée et trempez-les dans la pâte. ● Retirez le poisson de la pâte avec une fourchette, mettez-le doucement dans l'huile bouillante et faites cuire jusqu'à ce que les morceaux soient bien dorés. Sortez le poisson avec une écumoire et égouttez-le sur du papier absorbant. ● Plongez à nouveau les pommes de terre dans la friteuse et faites-les cuire jusqu'à ce qu'elles soient dorées et croustillantes. Servez poisson et frites avec une sauce tartare ou du vinaigre de malt (en vente dans les rayons spécialisés des grandes et moyennes surfaces).

L'accord parfait
CÔTES DU RHÔNE VILLAGES BLANC

Voilà la version « de luxe » du traditionnel fish and chips anglais. Cabillaud, saumon et haddock exigent un vin blanc généreux et raffiné. La rondeur et l'acidité du Côtes du Rhône Villages feront merveille et démultiplieront le plaisir de ce plat convivial.
Autre proposition : Luberon blanc.

Europe

HACHIS PARMENTIER AUX AMANDES GRILLÉES

Plat 🍳🍳

Pour 6 personnes

Préparation : 15 mn/Cuisson : 40 mn

1 kg de pommes de terre bintje,
750 g de viande de bœuf cuite en pot-au-feu,
10 à 15 cl de bouillon de pot-au-feu,
2 c. à soupe de persil ciselé,
3 pincées de piment d'Espelette
2 noix de beurre,
2 c. à soupe d'amandes hachées,
sel, poivre.

● Rincez les pommes de terre sous l'eau en les brossant. Mettez-les dans une casserole, couvrez-les d'eau, salez et portez à ébullition. Laissez cuire 20 mn environ, jusqu'à ce qu'elles soient tendres. ● Emiettez la viande entre vos doigts. Ajoutez persil, sel, poivre et piment d'Espelette. Mélangez bien. ● Préchauffez le four th. 6/180°. Lorsque les pommes de terre sont cuites, égouttez-les, pelez-les et passez-les à la moulinette. Incorporez suffisamment de bouillon, en remuant avec une spatule, pour réaliser une purée bien souple. ● Etalez une fine couche de purée dans un plat à gratin beurré de 30 x 22 cm. Parsemez de la moitié des amandes hachées et étalez dessus la viande émiettée. Couvrez du reste de purée. Lissez la surface à la spatule et parsemez du reste d'amandes. ● Glissez le plat au four et laissez cuire 20 mn environ, jusqu'à ce que la surface du hachis soit dorée. ● Servez chaud dans le plat de cuisson.

L'accord parfait
CÔTES DU RHÔNE VILLAGES ROUGE

Merveilleux plat de famille, le hachis parmentier réclame un vin rouge souple et fruité. Le Côtes du Rhône Villages apportera ses arômes, sa fraîcheur et une structure présente mais pas trop marquée pour épouser la texture de la viande hachée et de la purée de pommes de terre.
Autre proposition : Costières de Nîmes rouge.

Europe

MOELLEUX AU CHOCOLAT

Dessert

Pour 6 à 8 personnes

Préparation : 10 mn/Cuisson : 25 mn

250 g de chocolat noir,
250 g de beurre + 1 noisette,
6 œufs,
200 g de sucre glace,
80 g de farine,
sucre en poudre.

● Préchauffez le four th. 6/180°. ● Beurrez et tapissez un moule à manqué de papier sulfurisé. ● Cassez le chocolat en morceaux. Faites-le fondre avec le beurre coupé en gros cubes dans le micro-ondes ou au bain-marie. Ensuite, lissez le mélange au fouet. ● Battez les œufs entiers et le sucre glace jusqu'à ce que le mélange mousse et blanchisse. Ajoutez le mélange chocolat et beurre fondus et la farine. Mélangez bien et versez la préparation dans le moule. Saupoudrez un peu de sucre en poudre versé au travers d'une passoire. ● Faites cuire le gâteau 25 mn si vous aimez que le centre soit coulant, ou 30 mn pour une cuisson plus ferme. Sortez-le du four et laissez-le tiédir dans le moule avant de le poser sur une grille.

L'accord parfait
VIN DOUX NATUREL RASTEAU

Les arômes de cacao du vin doux naturel rasteau rouge répondent à ceux du moelleux au chocolat. Par quel mystère ? Dieu seul le sait. Et lorsqu'on ajoute les notes de fruits secs, d'épices et de réglisse, l'accord devient véritablement divin.
Autre proposition : Côtes du Rhône Villages rouge.

Europe

PAELLA EXPRESS

Plat 🧑‍🍳🧑‍🍳🧑‍🍳

Pour 6 personnes

Préparation : 30 mn/Cuisson : 45 mn

18 langoustines,
200 g de crevettes roses ou de calamars surgelés,
200 g de chorizo,
20 moules, 20 coques,
1 gros oignon doux, 2 gousses d'ail,
150 g de petits pois frais, 300 g de riz rond,
15 cl de vin blanc, 1 g de safran en filaments,
huile d'olive, 50 cl de bouillon de poule,
bouquet garni (2 branches de thym et 1 feuille de laurier),
sel, poivre.

● Pelez et hachez l'oignon et l'ail. Faites chauffer 2 c. à soupe d'huile d'olive dans une grande poêle et faites dorer les langoustines et les crevettes (ou les calamars). ● Remplacez-les par le chorizo coupé en rondelles. Réservez le tout au chaud. ● Dans une cocotte, faites ouvrir les moules et les coques avec le bouquet garni et le vin blanc à couvert pendant 5 mn. Retirez du feu, filtrez le jus et mettez les coquillages avec les langoustines, les crevettes et le chorizo. ● Faites chauffer la grande poêle de nouveau avec 2 c. à soupe d'huile et faites revenir l'oignon et l'ail sans laisser dorer. ● Mettez le riz, mélangez doucement, assaisonnez, ajoutez les petits pois, le safran et le jus filtré. ● Laissez cuire sur feu doux en ajoutant du bouillon au fur et à mesure, pour ne pas « noyer » le riz. Lorsqu'il est cuit, rectifiez l'assaisonnement, ajoutez les ingrédients réservés au chaud, mélangez et servez dans un grand plat.

L'accord parfait
VACQUEYRAS ROUGE

Le Vacqueyras rouge possède tout le fruité nécessaire pour accompagner le riz et offre assez de matière pour enrober la chair serrée des crustacés. En outre, il possède suffisamment de puissance et de chaleur pour répondre aux assauts du safran. Vraiment le vin idéal.
Autre proposition : Beaumes de Venise rouge.

Europe

QUASI AUX LÉGUMES D'ÉTÉ ET SAUCE « VITELLO TONATO »

Plat

Pour 6 personnes

Préparation : 10 mn/Cuisson : 1 h

1 quasi de veau de 1 kg, 6 oignons nouveaux,
2 gousses d'ail nouveau, 6 tomates bien fermes et mûres,
1/2 poivron rouge, 1 branche de thym frais,
4 c. à soupe d'huile d'olive, sel, poivre du moulin.
<u>Pour la sauce « vitello tonato » :</u>
140 g de thon à l'huile d'olive, 2 jaunes d'œufs,
3 filets d'anchois à l'huile d'olive, 15 cl d'huile d'olive,
2 c. à soupe de jus de citron,
fleurs de câpres ou câpres au vinaigre.

● Sortez le quasi du réfrigérateur. ● Pelez les oignons nouveaux. Gardez un peu de vert des tiges. Pelez l'ail. ● Lavez les tomates, le poivron et le thym. ● Coupez les tomates en deux et le poivron en dés. ● Placez le quasi dans un plat creux. Posez dessus une demi-tomate, 1 oignon, 1 gousse d'ail, un peu de thym et quelques dés de poivron. Disposez le reste tout autour. ● Arrosez d'huile d'olive, salez et poivrez généreusement, puis enfournez à th. 7/210° pour 1 h. ● Préparez la sauce. Mixez finement le thon et les anchois égouttés avec 5 cl d'huile d'olive. ● Ajoutez les jaunes d'œufs, le jus de citron et versez le reste d'huile d'olive en filet, comme pour une mayonnaise. Incorporez les câpres. Réservez au réfrigérateur. ● Arrosez le quasi durant sa cuisson. ● Hachez grossièrement le vert d'oignon. ● Lorsque le quasi est cuit, laissez-le reposer 5 mn, puis servez-le tranché, parsemé de vert d'oignon et accompagné de la sauce.

L'accord parfait
CORNAS

Quel vin choisir pour ce veau aux saveurs marines ? Avec ses puissants arômes d'épices et de chocolat torréfié, le Cornas saura assurément s'imposer. Sans compter sa solide structure tannique qui fera merveille avec la texture de la viande. Autre proposition : Gigondas rouge.

Europe

RISOTTO AU VIN ROUGE

Plat

Pour 6 personnes

Préparation : 10 mn/Cuisson : 40 mn

225 g de riz arborio ou canarolli,
1 oignon, 1 gousse d'ail,
1 bouquet garni, 1/2 brin de romarin,
50 cl de vin rouge,
50 cl de bouillon de volaille,
100 g de beurre,
100 g de parmesan frais,
sel, poivre.

● Râpez le parmesan. ● Dans une casserole, faites chauffer le bouillon. ● Dans une grande sauteuse, faites revenir sur feu moyen l'oignon et l'ail pelés et émincés dans 50 g de beurre, sans les laisser brunir. ● Ajoutez le bouquet garni et le romarin. Remuez et versez le riz. Mélangez bien pour enrober le riz de beurre. Versez la moitié du vin rouge. Augmentez légèrement le feu et ajoutez une louche de bouillon chaud. Remuez sans cesse pour que le riz n'attache pas. Lorsque le riz a absorbé le liquide, versez une nouvelle louche de bouillon. Ajoutez le vin restant, remuez toujours jusqu'à ce qu'il soit absorbé, continuez ensuite avec le bouillon. Le riz doit être cuit mais encore légèrement ferme. ● Rectifiez l'assaisonnement en sel. Poivrez. ● Ajoutez le beurre restant et la moitié du parmesan. Mélangez, couvrez 1 mn. Servez avec le reste de parmesan à part.

L'accord parfait
SAINT-JOSEPH ROUGE

Cuisiné au vin rouge, ce risotto exige, bien sûr, un vin de même couleur. Pourquoi pas un Saint-Joseph, dont les arômes de framboise et de réglisse ajouteront une touche de légèreté à ce plat qui fleure bon l'Italie ? Serait-ce le mariage idéal ? Autre proposition : Crozes-Hermitage rouge.

Europe

SALADE DE SAUMON GRILLĒ

Plat

Pour 6 personnes

Préparation : 10 mn/Cuisson : 8 mn

Repos : 30 mn

1 filet de saumon de 700 g sans arêtes avec la peau,
500 g de pousses d'épinards et de pourpier,
piment d'Espelette,
huile d'olive, sel, poivre du moulin.
<u>Pour la sauce :</u>
4 c. à soupe d'huile d'olive,
1 c. à café de vinaigre de xérès,
le jus de 1/2 citron et de 1/2 orange,
1 gousse d'ail pressée, poivre du moulin.

● Faites chauffer le four th. 8/240°. Posez le saumon côté chair dans un plat tapissé d'une feuille d'aluminium et arrosez-le d'un filet d'huile d'olive. Salez, poivrez la peau et saupoudrez-la d'un peu de piment.
● Faites cuire le saumon 4 mn dans la partie haute du four (mais pas juste sous le gril), puis mettez en position gril et poursuivez la cuisson 4 mn. ● Retirez le poisson du four et laissez-le tiédir. ● Lavez les salades. Essorez-les délicatement et réunissez-les dans un saladier.
● Mettez tous les ingrédients de la sauce dans un bocal vide avec 2 c. à soupe d'eau. Fermez le couvercle et secouez vivement jusqu'à ce que la sauce soit bien émulsionnée. ● Versez-la sur la salade, remuez doucement, puis répartissez-la dans des assiettes.
● Disposez dessus le saumon découpé en morceaux et servez.

L'accord parfait
SAINT-PĒRAY

Si la vivacité du Saint-Péray s'accordera parfaitement avec l'huile d'olive et l'ail de la salade d'épinards et de pourpier, ses arômes de fleurs et sa belle texture sauront mettre en valeur la chair du saumon grillé. Un délice !
Autre proposition : Côtes du Rhône Villages blanc.

Europe

STOEMP

Plat

Pour 4 personnes

Préparation : 25 mn/Cuisson : 45 mn

4 chipolatas,
2 tranches de très bon lard fumé
de 1 cm d'épaisseur découenné,
300 g de pommes de terre type bintje,
200 g de carottes de sable,
300 g de chicons (endives),
1 poireau, 1 oignon blanc émincé,
1 gousse d'ail,
1 l de bouillon de légumes (avec 2 cubes),
25 cl de crème fraîche, 80 g de beurre,
1 c. à soupe de graisse d'oie,
6 brins de ciboulette,
2 brins de thym, 2 feuilles de laurier,
sel, poivre.

● Coupez le lard en deux, mettez-le dans une casserole, couvrez-le d'eau froide, portez à ébullition 1 mn, égouttez. ● Pelez les pommes de terre et les carottes et coupez-les en petits dés. Faites-les revenir dans une cocotte avec la graisse d'oie, l'oignon et le poireau émincés et la gousse d'ail écrasée. ● Lavez les endives rapidement et ajoutez-les avec le thym et le laurier, mélangez et faites suer 10 mn à couvert sur feu moyen. ● Versez le bouillon, portez à ébullition, puis laissez cuire à découvert 25 mn. ● Faites dorer le lard et les chipolatas sur un gril très chaud sans matière grasse. ● Egouttez les légumes, ôtez le thym et le laurier, écrasez grossièrement en purée avec 20 cl de crème et le beurre, salez, poivrez. ● Déposez la purée dans un plat, versez la crème restante, ajoutez le lard et les saucisses, parsemez de ciboulette ciselée et servez.

L'accord parfait
LIRAC ROUGE

Mélange de légumes et de pommes de terre, stoemp se traduit par « purée » en bruxellois. Un plat savoureux qui trouvera son bonheur avec un rouge tout en rondeur comme le Lirac. Ses notes de fruits et d'épices feront merveille tandis que ses tanins soyeux apporteront élégance et raffinement. Autre proposition : Saint-Joseph rouge.

Europe

TARTE AU POULET, POIREAUX, GINGEMBRE

Plat

Pour 6 personnes

Préparation : 20 mn/Cuisson : 1 h 15/Repos : 2 h

6 cuisses de poulet sans peau et désossées, 4 poireaux,
1 gros morceau de gingembre, 2 gousses d'ail,
2 oignons, 1 filet d'huile d'olive, 8 c. à soupe de sauce
soja japonaise, sel, poivre, 1 c. à café de quatre-épices,
1 petit piment rouge, 40 g de beurre, 1 œuf.

Pour la pâte :
250 g de farine, 150 g de beurre,
1 œuf, 6 c. à soupe de lait, 1 c. à café de sucre, sel.

● Coupez le poulet en dés. ● Préparez la pâte : dans
le bol d'un robot, mettez la farine, le beurre en morceaux, le sucre et 2 pincées de sel, puis mixez jusqu'à
ce que le mélange soit sableux. Ajoutez l'œuf et le lait,
et mixez par à-coups jusqu'à ce que la pâte se mette
en boule. Enveloppez de film alimentaire, réservez au
frais. ● Mettez le poulet dans une jatte avec le gingembre pelé et râpé, l'ail et les oignons émincés. Arrosez
d'huile d'olive et de sauce soja. Salez, poivrez et
ajoutez quatre-épices et piment. ● Faites chauffer le
beurre dans une poêle et faites revenir l'ensemble à
feu moyen. ● Lavez les poireaux, coupez-les en rondelles et ajoutez-les dans la poêle. Remuez sur feu
plus vif, puis laissez reposer. ● Préchauffez le four
th. 6/180°. Beurrez 6 ramequins. Etalez la pâte sur
un plan fariné et découpez 6 cercles avec un bol re-
tourné. ● Répartissez le mélange au poulet dans les ramequins. Versez 1 verre d'eau bouillante dans la
poêle, récupérez le jus et versez-le sur le poulet.
Mouillez le bord des ramequins, posez la pâte et ap-
puyez pour la faire adhérer. Faites une cheminée, badigeonnez la surface avec l'œuf battu et mettez au
four 40 mn.

L'accord parfait
CROZES-HERMITAGE ROUGE

**Pour ce classique de la cuisine anglaise revisité
par des condiments et des épices, il faut un vin
rouge de caractère. Les notes de réglisse et de
violette du Crozes-Hermitage seront parfaites,
tandis que sa belle structure fera merveille en
s'imposant face au gingembre. Détonnant !
Autre proposition : Vacqueyras rouge.**

Europe

TARTE FAÇON PISSALADIÈRE

Plat

Pour 6 personnes

Préparation : 15 mn/Cuisson : 35 mn

1 pâte brisée,
2 bottes d'oignons frais avec la tige,
6 tomates parfumées,
40 g de beurre,
2 c. à soupe d'huile d'olive,
piment de Cayenne,
4 brins de thym,
sel, poivre du moulin.

● Pelez les oignons en gardant un peu de tige, puis émincez-les. Faites-les cuire doucement à la poêle dans un mélange beurre-huile d'olive pendant 10 mn. ● Allumez le four th. 6/180°. Tapissez la plaque du four de papier sulfurisé et posez la pâte étalée dessus. Piquez-la de plusieurs coups de fourchette et mettez les oignons dessus. ● Lavez les tomates, séchez-les et coupez-les en rondelles. Répartissez-les sur les oignons. Salez, poivrez et saupoudrez d'un peu de piment de Cayenne. Parsemez de thym, arrosez d'un mince filet d'huile et faites cuire au four pendant 25 mn environ.

L'accord parfait
LUBERON ROSÉ

Cette pizza à la niçoise a l'accent du Midi. Comment s'étonner qu'un rosé né dans le Luberon soit l'heureux élu de son cœur ? Ses arômes sauront s'accorder avec le fruité des olives et sa belle structure accompagner les tendres oignons fondus. Du plaisir en perspective…
Autre proposition : Côtes du Rhône rosé.

Europe

VELOUTĒ DE CHOU VERT ET COQUILLES SAINT-JACQUES AU SEL FUMĒ

Entrée

Pour 4 personnes

Préparation : 15 mn/Cuisson : 50 mn

1/2 chou vert frisé, 2 pommes de terre bintje,
1 filet de maquereau fumé au poivre,
8 noix de Saint-Jacques crues, sel fumé,
10 cl de lait, 1 gousse d'ail,
1 l de bouillon de légumes,
100 g de salades mélangées,
15 cl de crème fraîche épaisse,
1 petit bocal d'œufs de saumon,
8 brins d'aneth,
sel, poivre, huile d'olive.

● Faites cuire les pommes de terre dans leur peau à l'eau bouillante salée 20 mn. ● Faites tiédir le lait avec l'ail écrasé. ● Pelez les pommes de terre et écrasez-les à l'aide d'une fourchette avec la chair du maquereau effeuillée. ● Versez le lait, salez, poivrez et mélangez bien. Arrosez d'un filet d'huile. Réservez la brandade au chaud. ● Faites blanchir le chou 10 mn dans de l'eau bouillante, rincez, découpez-le en fines lamelles puis mettez-les dans une casserole avec le bouillon, salez et poivrez, portez à ébullition et comptez 20 mn de cuisson. Mixez pour obtenir un velouté, filtrez et réservez. ● Lavez les salades et essorez-les. ● Faites chauffer un gril sur feu vif, et mettez-y les noix de Saint-Jacques 1 mn de chaque côté, saupoudrez de sel fumé. ● Versez le velouté dans des assiettes creuses, répartissez la brandade, quelques feuilles de salade et les saint-jacques coupées en deux dans l'épaisseur. Déposez 1 c. à café de crème, 1 c. à café d'œufs de saumon et un peu d'aneth par-dessus. Servez aussitôt.

L'accord parfait
HERMITAGE BLANC

Elégance et rusticité marquent cette recette imaginative. Elle devrait trouver son bonheur dans l'Hermitage blanc, dont la complexité aromatique s'accordera avec la finesse des coquilles Saint-Jacques. Sa rondeur saura également se marier avec le velouté de chou.
Autre proposition : Lirac blanc.

Evasion en Amérique

Hamburgers, brownies et spare ribs composent le menu festif d'un pays dont la singularité est d'être pluriel : en attestent les classiques de sa cuisine frontalière, les pizzas autrefois napolitaines, le saumon « à la canadienne » et le chili désormais plus tex que mex. Un répertoire simple et généreux pour des alliances avec des vins rouges puissants et structurés, notamment à base de syrah.

Amérique

AILERONS DE POULET SAUCE BARBECUE

Plat

Pour 4 à 6 personnes

Préparation : 25 mn/Cuisson : 1 h

750 g d'ailerons de poulet,
25 cl de ketchup,
30 g de sucre roux,
2 c. à soupe de sirop de maïs,
2 c. à soupe de mélasse,
2 c. à soupe de vinaigre de cidre,
2 c. à soupe de sauce Worcestershire,
2 c. à soupe de moutarde,
1/2 c. à café de piment en poudre ou de Tabasco,
1 c. à soupe de paprika,
sel, poivre.

● Mélangez le ketchup, le sucre roux, le sirop de maïs, la mélasse, le vinaigre de cidre, la sauce Worcester-shire, la moutarde, le piment en poudre (ou le Ta-basco) et le paprika dans une casserole et faites réduire à feu doux pendant 20-30 mn. ● Préchauffez le four à th. 8/240°. ● Salez et poivrez les ailerons de poulet, disposez-les dans un plat à four muni d'une grille et enfournez pour 15-20 mn. ● Enduisez le pou-let de sauce barbecue et poursuivez la cuisson 15 mn environ en badigeonnant le poulet régulièrement de sauce. Servez avec le reste de sauce et du riz nature.

L'accord parfait
BEAUMES DE VENISE ROUGE

Avec son nez séduisant de fruits rouges et d'épi-ces, sa souplesse alliée à des tanins bien char-pentés, le Beaumes de Venise rouge mettra en valeur les saveurs sucré-salé de ce plat original. Une alliance décoiffante !
Autre proposition : Vacqueyras rouge.

Amérique

BROWNIES

Dessert

Pour 6-8 personnes

Préparation : 10 mn/Cuisson : 25 mn

200 g de chocolat noir,
200 g de beurre,
100 g de cerneaux de noix,
4 œufs,
200 g de sucre,
100 g de farine,
1 c. à café de levure chimique,
1 pincée de sel.

● Préchauffez le four th. 6/180°. ● Passez un moule carré sous l'eau froide sans l'essuyer et tapissez-le de papier sulfurisé. ● Cassez le chocolat dans une jatte. Ajoutez le beurre coupé en morceaux et faites fondre au micro-ondes ou au bain-marie. Lissez la préparation au fouet. ● Concassez grossièrement les noix. ● Battez les œufs entiers et le sucre jusqu'à ce que le mélange blanchisse. Ajoutez le chocolat et le beurre fondus, la farine, la levure, les noix et le sel. Mélangez et versez la préparation dans le moule. Faites cuire au four pendant 25 mn environ. Le gâteau est cuit quand la lame d'un couteau plantée au centre ressort un peu coulante. ● Sortez le gâteau du four et découpez-le dans le plat en carrés (vingt-quatre environ). Laissez refroidir dans le moule.

L'accord parfait
RASTEAU
(VIN DOUX NATUREL)

Par sa générosité, sa grande onctuosité et sa solide structure tannique, le vin doux naturel Rasteau rouge rehaussera parfaitement la saveur des brownies. De plus, ses arômes complexes de fruits noirs, d'épices et de réglisse sublimeront le chocolat. Un beau mariage !
Autre proposition : Côtes du Rhône Villages rouge.

Amérique

CHILI RAPIDE

Plat

Pour 6 personnes

Préparation : 10 mn/Cuisson : 1 h

1 boîte de haricots rouges,
400 g de viande de bœuf hachée,
1 boîte de tomates pelées,
6 crêpes,
100 g de cheddar,
2 gousses d'ail, 1 oignon,
2 c. à soupe de ketchup,
1 c. à soupe de moutarde forte,
2 c. à café de cumin en poudre,
1 bouquet garni (thym, laurier),
1 c. à soupe de crème fraîche,
3 c. à soupe d'huile d'olive,
sel, poivre.

● Dans une casserole, versez les tomates pelées, puis l'ail pressé, le ketchup, 1 c. à soupe d'huile d'olive et le bouquet garni. ● Ecrasez légèrement les tomates à la fourchette directement dans la casserole. Salez, poivrez et laissez cuire sur feu moyen en remuant. Lorsque la sauce a réduit, réservez. ● Faites revenir l'oignon haché dans une poêle avec 2 c. à soupe d'huile d'olive sur feu moyen. Ajoutez la viande en l'émiettant et faites-la revenir sur feu vif en remuant à la cuillère en bois. Salez, poivrez, ajoutez la moutarde et le cumin, mélangez et versez le tout dans la sauce tomate. Rectifiez l'assaisonnement. ● Rincez les haricots dans une passoire sous l'eau froide. Ajoutez-les à la préparation, mouillez à hauteur d'eau, couvrez et laissez cuire 30 mn à partir de l'ébullition. ● Retirez le couvercle et poursuivez la cuisson à découvert 15 mn. Ajoutez la crème fraîche et servez avec les crêpes et le cheddar râpé.

L'accord parfait
LUBERON ROUGE

Un vin jeune, frais et bien structuré, voilà ce qu'il faut à ce classique tex-mex particulièrement relevé. Le Luberon rouge apportera toute la fraîcheur nécessaire et une richesse aromatique pleine de fruits, idéale pour agrémenter ce plat. Autre proposition : Côtes du Rhône rouge.

Amérique

CLUB-SANDWICHS

Plat 🍳🍳

Pour 4 personnes

Préparation : 10 mn/Pas de cuisson

8 tranches de pain complet
ou de pain de campagne moulé,
150 g de filets de truite fumée,
1/2 avocat,
150 g de fromage de chèvre frais,
graines germées (2 c. à soupe d'alfalfa,
poireaux, radis, haricots mungo, etc.),
1 jus de citron,
2 c. à soupe d'huile d'olive,
poivre.

● Faites griller les tranches de pain. ● Badigeonnez-les d'huile d'olive. ● Tartinez 4 tranches avec le chèvre frais. Poivrez. ● Recouvrez de filets de truite coupés en morceaux, d'avocat coupé en tranches fines, que vous arroserez de jus de citron, et de graines germées. ● Recouvrez avec les 4 tranches de pain grillées restantes. ● Coupez chaque club-sandwich en deux en diagonale pour former des triangles.

L'accord parfait
CÔTES DU RHÔNE BLANC

Les parfums subtils de fleurs blanches et de fruits du Côtes du Rhône blanc contribueront grandement à enrichir la palette aromatique déjà large de cette recette surprenante alliant truite fumée et fromage de chèvre.
Autre proposition : Luberon rosé.

Amérique

DINDE FARCIE, POLENTA CRÉMEUSE

Plat 👨‍🍳👨‍🍳👨‍🍳

Pour 6 personnes

Préparation : 20 mn/Cuisson : 3 h

1 dinde,
100 g de cerneaux de noix, 50 g de beurre mou.
<u>Pour la farce :</u> 4 boudins blancs, 4 gousses d'ail,
2 oignons, 1 pomme, 1 poignée de persil frisé,
4 petits-suisses, 1 œuf, huile d'olive,
sel, poivre du moulin, muscade, cannelle.
<u>Pour la polenta :</u> 250 g de polenta précuite,
1 l de lait, 25 cl de crème fleurette, 40 g de beurre,
50 g de parmesan fraîchement râpé.

● Allumez le four th. 5/150°. Concassez grossièrement les cerneaux de noix et mélangez la moitié au beurre mou. ● Préparez la farce : pelez et hachez l'ail et les oignons et faites-les revenir dans une poêle avec un peu d'huile. Ajoutez la pomme lavée avec la peau en la râpant au-dessus de la poêle. Lavez le persil et hachez-le. Epluchez et coupez les boudins en morceaux, hachez-les, ajoutez-les dans la poêle avec le persil, les noix restantes, du sel, du poivre, un peu de muscade et de cannelle. Hors du feu, ajoutez les petits-suisses et l'œuf entier, et mélangez bien. ● Mettez la farce dans la dinde, cousez l'ouverture avec de la ficelle, tartinez la dinde avec le beurre aux noix, mettez-la dans un plat avec 2 verres d'eau et faites-la cuire 3 h en l'arrosant souvent. ● Pour la polenta : faites chauffer le lait et la crème dans une casserole, versez la polenta en pluie en remuant sans cesse au fouet pour éviter les grumeaux et faites-la cuire jusqu'à ce qu'elle se détache des parois. Hors du feu, ajoutez le beurre et le parmesan. ● Servez avec la dinde découpée et la farce à côté.

L'accord parfait
HERMITAGE BLANC

Avec ce plat de fête, il faut un vin impérial. Pourquoi pas un Hermitage blanc ? Tendre et charnu, doté d'une acidité mesurée, de saveurs complexes à la fois florales et délicatement grillées, il présente une texture qui enveloppera avec bonheur la chair fine et crémeuse de la dinde farcie. Autres propositions : Lirac blanc, Crozes-Hermitage blanc.

Amérique

FILET MIGNON DE PORC AU COLOMBO, RIZ MÉLANGÉ AUX FRUITS SECS ET POMME VERTE

Plat 👨‍🍳👨‍🍳

Pour 4 personnes

Préparation : 10 mn/Cuisson : 30 mn

2 petits filets mignons de porc,
2 c. à soupe de colombo,
2 c. à soupe d'huile d'olive,
30 g de beurre, sel, poivre.
<u>Pour accompagner :</u>
200 g de riz mélangé, 1 pomme granny-smith,
25 g de raisins secs, 25 g de pignons,
2 c. à soupe d'huile d'olive,
sel, poivre du moulin.
<u>Pour la sauce :</u>
200 g de yaourt nature,
1/2 c. à café de piment d'Espelette,
1/2 c. à café de colombo.

● Taillez la pomme en dés. ● Faites dorer les raisins secs et les pignons dans l'huile d'olive. ● Ajoutez le riz, les deux tiers des dés de pomme et 20 cl d'eau. ● Couvrez, baissez l'intensité du feu au minimum et faites cuire le riz jusqu'à ce qu'il ait absorbé toute l'eau, environ 20 mn. ● Salez et poivrez. Mélangez le yaourt avec les épices. ● Coupez les filets mignons en tranches d'environ 5 mm d'épaisseur. ● Faites chauffer le beurre et l'huile dans une poêle antiadhésive. ● Ajoutez le colombo, patientez 1 mn puis posez les tranches de filet mignon. ● Salez, poivrez et laissez dorer à feu vif 3 mn, puis prolongez la cuisson à feu doux environ 7 mn. ● Servez avec le riz aux fruits, le reste des dés de pomme crus et la sauce au yaourt.

L'accord parfait
SAINT-JOSEPH BLANC

Les élégants arômes de fleurs blanches, d'acacia et de miel du Saint-Joseph blanc se marieront harmonieusement avec cette recette des Antilles subtilement relevée. Rondeur, fraîcheur et parfait équilibre compléteront le tout dans une belle harmonie.
Autre proposition : Côtes du Rhône Villages blanc « Laudun ».

Amérique

GUACAMOLE

Entrée

Pour 6 personnes

Préparation : 10 mn/Pas de cuisson

6 avocats,
2 citrons verts,
3-4 gouttes de Tabasco,
10 cl d'huile d'olive, sel.

● Pressez le jus des citrons verts. ● Pelez les avocats, coupez-les en morceaux et mixez-les avec le jus des citrons et l'huile d'olive. Ajoutez 3-4 gouttes de Tabasco. Salez. ● Goûtez pour vérifier l'assaisonnement. ● Servez le guacamole bien froid avec des tortillas chips de maïs et du pain libanais toasté. Vous pouvez aussi ajouter quelques rondelles de citronnelle.

L'accord parfait
COSTIÈRES DE NÎMES ROSÉ

Doux et acidulé, le guacamole ne peut être que séduit par le fruité, la franchise et la vivacité du Costières de Nîmes rosé. Aromatique et légèrement épicé, celui-ci reste néanmoins suffisamment puissant pour tenir tête à l'avocat.
Autre proposition : Côtes du Rhône rosé.

Amérique

HAMBURGERS « MAISON »

Plat

Pour 4 hamburgers

Préparation : 20 mn/Cuisson : 5 mn

400 g de viande de bœuf non persillée,
type « tranche », fraîchement hachée,
4 muffins, 4 tranches fines de lard fumé,
4 tranches fines de gouda,
4 petites poignées de roquette,
1 belle tomate, 2 c. à soupe de ketchup,
1 c. à soupe de Worcestershire sauce,
1 c. à café de Tabasco,
1 bonne pincée de muscade et de cannelle,
huile d'arachide, sel, poivre du moulin.

● Lavez et essorez la roquette. Lavez puis tranchez finement la tomate. Mélangez le ketchup, la Worcestershire sauce et le Tabasco. ● Epicez la viande de muscade et de cannelle. ● Formez 4 pavés bien ronds de la taille des muffins. ● Faites chauffer l'huile. ● Sur un gril à viande antiadhésif, saisissez le lard fumé, puis les steaks hachés, 2 mn de chaque côté. Salez, poivrez. ● En même temps, tranchez en deux les muffins et toastez-les légèrement au grille-pain. ● Posez sur chaque demi-muffin 1 poignée de roquette. ● Ajoutez le gouda, la viande, un peu de sauce, des rondelles de tomate, puis les demi-muffins restants. ● Vous pouvez accompagner ces hamburgers d'un buisson d'oignons frits : émincez 2 gros oignons et roulez-les dans 4 c. à soupe de farine. Tapotez-les légèrement. ● Plongez-les 1 mn dans 50 cl d'huile chaude. Retirez-les dès qu'ils sont dorés, égouttez-les et servez-les aussitôt.

L'accord parfait
CÔTES DU RHÔNE VILLAGES ROUGE

Un vin chaleureux, des arômes épicés, une structure souple, voilà ce qu'il faut à ce plat mythique de la cuisine américaine. Le Côtes du Rhône Villages rouge possède cette générosité mais aussi le caractère affirmé indispensable au bon équilibre de l'ensemble.
Autre proposition : Côtes du Rhône rouge.

Amérique

PIZZA XXL

Plat 👨‍🍳👨‍🍳

Pour 8 personnes

Préparation : 20 mn/Cuisson : 1 h

500 g de pâte à pizza.

<u>Pour la garniture :</u>
2 tranches de jambon de Paris,
200 g de fromage râpé (emmental),
3 petites tomates, 3 brins de thym frais,
20 filets d'anchois à l'huile,
20 olives noires.

<u>Pour la sauce :</u>
2 oignons,
6 c. à soupe d'huile d'olive,
4 c. à soupe de concentré de tomate,
1 grande boîte de pulpe de tomate,
1 c. à café d'origan ou d'herbes de Provence,
1 feuille de laurier, sel, poivre du moulin.

● Préparez la sauce : pelez les oignons, hachez-les et faites-les revenir dans l'huile d'olive sur feu moyen. ● Dès qu'ils sont translucides, ajoutez le concentré de tomate, la pulpe de tomate avec le jus, l'origan et le laurier. Mélangez. Réduisez le feu et laissez mijoter 35 mn en remuant de temps en temps. Salez et poivrez à la fin. Laissez tiédir un peu la sauce hors du feu et retirez le laurier. ● Allumez le four th. 7/210°. Sortez la plaque du four et posez une feuille de papier sulfurisé dessus. ● Découpez les tranches de jambon en lamelles et les tomates en rondelles. ● Etalez la pâte à pizza. Répartissez la sauce tomate sur la pâte jusqu'à 1 cm du bord. Ajoutez le jambon et les tomates. Parsemez de fromage râpé et disposez les anchois bien égouttés et les olives. Saupoudrez l'ensemble de thym. ● Poivrez et salez à peine, les anchois le sont déjà. ● Faites cuire la pizza 15 mn environ et servez aussitôt.

L'accord parfait
CÔTES DU RHÔNE ROUGE

Anchois, jambon, fromage, tomates... Sur la pizza, les goûts se fondent et s'entrechoquent. Pour s'adapter aux aromates et aux épices, rien de tel que le Côtes du Rhône rouge, qui saura épouser la pointe d'acidité de la tomate et le goût fruité de l'olive.
Autre proposition : Côtes du Rhône Villages.

Amérique

RÔTI DE BICHE ET POIRES AU LARD

Plat

Pour 6-8 personnes

Marinade : 8 h/Préparation : 30 mn/Cuisson : 1 h

1 rôti de biche de 1,5 kg environ,
6 ou 8 tranches de lard fines,
2 c. à soupe de moutarde forte,
2 c. à soupe de graines de moutarde,
6 ou 8 poires,
1 bouteille de vin rouge corsé,
5 c. à soupe de miel,
2 c. à soupe de chili en poudre,
1 c. à soupe de graines de coriandre,
1 c. à soupe de baies de genièvre,
beurre, sel, poivre.

● La veille ou le matin même, badigeonnez la viande de moutarde, salez et poivrez. Saupoudrez-la de graines de moutarde et réservez-la au frais recouverte de papier d'aluminium. ● Préparez les poires : pelez-les et évidez-les par le dessous. Faites bouillir le vin avec le miel et les épices, et ajoutez les poires. Faites-les pocher environ 20 mn à petits frémissements. ● Laissez-les refroidir dans le vin, puis sortez-les à l'aide d'une écumoire. Faites réduire le vin des trois quarts sur feu vif. ● Au dernier moment, allumez le four th. 8/240° et beurrez un plat à four. Mettez le rôti dans le plat et faites-le cuire dans le four chaud pendant 30 à 40 mn, en fonction du poids et du degré de cuisson désiré. ● Pendant ce temps, réchauffez les poires dans le vin réduit. Rectifiez l'assaisonnement en ajoutant du sel et du poivre. ● Faites dorer les tranches de lard dans une poêle avec un peu de beurre, sur feu doux. ● Laissez reposer la viande 5 mn recouverte de papier d'aluminium. Puis découpez-la et servez-la avec les poires et le lard.

L'accord parfait
HERMITAGE ROUGE

Plat d'excellence, le rôti de biche doit être accompagné d'un grand vin de la Vallée du Rhône. L'Hermitage rouge en est un. Ses arômes puissants et sa matière noble et suave conviendront à la chair particulièrement fine de ce gibier à poil.
Autre proposition : Cornas.

Amérique

SAUMON « À LA CANADIENNE »

Plat

Pour 8 personnes

Préparation : 10 mn/Cuisson : 7 mn

Trempage du bois : 1 h

1 gros saumon entier (1,8 à 2 kg),
2 gousses d'ail,
50 g de beurre mou,
1 bouquet d'aneth,
fleur de sel,
2 planchettes en bois (cèdre, pommier, noyer…),
un peu plus longues que les filets de saumon.

● Préparez le barbecue avec du charbon de bois et quelques branches. ● Faites lever les filets du saumon par votre poissonnier en conservant la peau. ● Faites tremper les planchettes en bois au moins 1 h avant de les utiliser. ● Pelez les gousses d'ail, dégermez-les et hachez-les avec un presse-ail au-dessus d'un bol. Ajoutez le beurre mou, l'aneth ciselé et de la fleur de sel. Malaxez pour obtenir un beurre d'ail aux herbes homogène. ● Tartinez légèrement l'intérieur des filets de saumon avec le beurre. ● Attachez-les sur les planches avec de la ficelle à rôtir (de préférence, côté peau contre le bois, si vous voulez obtenir un croustillant délicieux) et déposez le tout sur la grille du barbecue ou sur les braises d'un feu. Couvrez et laissez cuire 5 à 7 mn à l'étouffée, en surveillant la cuisson. Le saumon doit être juste cuit.

L'accord parfait
VACQUEYRAS BLANC

Ce rustique saumon canadien trouvera un bon compagnon avec le Vacqueyras blanc et son bouquet très floral. Sa rondeur et son acidité sont par ailleurs particulièrement bien adaptées à la chair riche de ce poisson.
Autre proposition : Saint-Joseph blanc.

Amérique

TARTARE POÊLÉ MINUTE

Plat

Pour 6 personnes

Préparation : 10 mn/Cuisson : 2 mn

900 g de gîte à la noix,
1 oignon,
1 gousse d'ail,
1/4 de bouquet de coriandre,
4 c. à soupe de sauce anglaise
(Worcestershire),
2 c. à soupe de câpres,
3 c. à soupe de moutarde forte,
1 c. à café de piment d'Espelette,
3 jaunes d'œufs,
30 g de beurre,
sel, poivre du moulin.

● Demandez à votre boucher de hacher la viande au couteau ou faites-le chez vous au dernier moment. Pelez l'oignon et l'ail, hachez-les finement et passez la coriandre à la moulinette. ● Mélangez le hachis à la viande. Puis ajoutez la sauce anglaise, les câpres, la moutarde, le piment d'Espelette et les jaunes d'œufs. Salez, poivrez et façonnez six tartares. ● Faites chauffer le beurre dans une grande poêle antiadhésive ou dans deux plus petites. Dès qu'il commence à sentir la noisette, faites cuire les steaks sur feu vif pendant 1 mn, puis retournez-les et poursuivez la cuisson 30 secondes à 1 mn. Servez aussitôt avec des frites croustillantes.

L'accord parfait
SAINT-JOSEPH ROUGE

Oignon et ail, câpres et sauce anglaise, moutarde et piment : ce plat aux saveurs corsées exige un vin à la fois puissant et délicat. Les arômes de réglisse et les tanins souples du Saint-Joseph rouge conviendront totalement au goût ardent du tartare.
Autre proposition : Vacqueyras rouge.

Amérique

TRAVERS DE PORC À L'AMÉRICAINE AU BARBECUE

Plat 👨‍🍳👨‍🍳👨‍🍳

Pour 4 personnes

Préparation : 10 mn/Marinade : 4 h

Cuisson : 30 mn

700 g de travers de porc frais.
<u>Pour la marinade :</u>
4 c. à soupe de sirop d'érable,
2 c. à soupe de ketchup, 2 c à soupe de Worcestershire sauce, 2 c. à soupe de Tabasco, 2 c. à soupe de sauce soja, 2 branches de romarin, poivre du moulin.
<u>Pour accompagner :</u>
1 kg de pommes de terre charlotte,
4 c. à soupe d'huile d'olive, sel, piment d'Espelette.

● Coupez le travers toutes les deux côtes. ● Mélangez les ingrédients de la marinade. ● Posez les travers dans un plat, ajoutez la marinade, couvrez le plat d'un film alimentaire et réservez au réfrigérateur 4 h minimum. Retournez plusieurs fois les travers dans la marinade. Mettez en route un barbecue pour obtenir beaucoup de braises. Le porc ne se mange pas rosé, les braises doivent donc durer longtemps. ● Préchauffez le four th. 7/210°. ● Lavez et coupez les pommes de terre en deux. ● Tapissez la tôle du four de papier sulfurisé, badigeonnez-le d'huile et poudrez-le de sel et de piment d'Espelette. ● Posez les pommes de terre, côté chair contre le papier, et faites-les cuire jusqu'à ce qu'elles soient tendres et dorées, entre 20 et 30 mn. ● Sortez les travers de la marinade, posez-les sur le barbecue, pas trop près des braises, et faites-les cuire le plus lentement possible, entre 20 et 30 mn. ● En cours de cuisson, au moment de les retourner, passez les travers dans la marinade, puis reposez-les sur la grille. ● Servez avec les pommes de terre rôties.

L'accord parfait
CÔTES DU RHÔNE ROUGE

Un barbecue, des amis... Et un Côtes du Rhône rouge ! Vin de convivialité par excellence, ses notes de garrigue, sa structure souple et généreuse accompagneront à merveille cette viande grillée.
Autre proposition : Costières de Nîmes rouge.

Evasion en Méditerranée

Royaume des tomates confites, des figues, des aubergines, des épices et de la graine... L'art culinaire du pourtour méditerranéen, à la mode avec ses recettes généreuses, diététiques et légèrement relevées, se mariera parfaitement avec les arômes de fruits rouges des vins des Côtes du Rhône.

Méditerranée

BOULETTES AUX DEUX VIANDES

Plat

Pour 6 personnes

Préparation : 30 mn/Cuisson : 45 mn

300 g de viande de bœuf hachée,
300 g de viande de veau hachée,
200 g de pommes de terre à purée (type bintje),
1 grosse boîte de tomates pelées,
3 gousses d'ail, 5 c. à soupe d'huile d'olive,
4 c. à soupe de vin rouge corsé, 1 beau brin de romarin,
200 g de mie de pain rassise, 1 verre de lait, 2 œufs,
1 noix de muscade, 10 brins de persil plat,
300 g de chapelure fine, sel, poivre du moulin.

● Faites dorer 2 gousses d'ail pelées et écrasées dans 2 c. à soupe d'huile, 5 mn. Ajoutez les tomates et leur jus, écrasez à la fourchette, puis le vin rouge et la moitié du romarin. Salez, poivrez et laissez cuire 20 mn à couvert, sur feu doux. Otez le couvercle et poursuivez la cuisson 10 mn. ● Dans un bol, imbibez de lait la mie de pain. Laissez reposer. ● Faites cuire les pommes de terre avec leur peau dans de l'eau salée. ● Mettez les viandes dans un saladier avec 1 gousse d'ail hachée et mélangez avec les mains. Ajoutez les pommes de terre pelées. Ecrasez le tout à la fourchette. Mélangez. Ajoutez les œufs, la mie de pain essorée, 2 pincées de noix muscade râpée et le persil ciselé. Mélangez. Humidifiez vos mains et préparez des boulettes. Roulez-les dans la chapelure. ● Faites chauffer l'huile d'olive restante dans une sauteuse et faites cuire les boulettes environ 10 mn sur feu moyen, jusqu'à ce qu'elles soient bien dorées. Egouttez-les sur un papier absorbant, puis mettez-les dans la sauce tomate. Au moment de servir, parsemez de romarin.

L'accord parfait
CÔTES DU RHÔNE ROUGE

Tomate, huile d'olive et romarin, ce plat fleure bon la Méditerranée. Il s'accordera parfaitement avec un Côtes du Rhône rouge chaleureux et épicé qui épousera les saveurs de l'ail et du romarin, tout en s'accommodant de la légère acidité de la tomate.
Autre proposition : Côtes du Rhône Villages rouge.

Méditerranée

COUSCOUS

Plat 🄌🄌

Pour 4 personnes

Préparation : 20 mn/Cuisson : 20 mn

400 g de viande de veau,
1 paquet de semoule (grain moyen),
1 oignon, 1 poireau,
2 courgettes, 2 carottes,
200 g de potiron,
quelques pois chiches,
2 l de bouillon de légumes,
1 c. à café d'huile d'olive,
1 c. à café de paprika, 1 pincée de safran,
sel et poivre.

● Dans une poêle, faites revenir dans l'huile d'olive l'oignon taillé en rondelles. Ajoutez la viande de veau coupée en petits dés. ● Coupez les courgettes, les carottes et le potiron épluchés et le poireau en petits dés et faites-les revenir dans la poêle avec une pincée de sel, le paprika et le safran. Ajoutez ensuite le bouillon de légumes. Laissez cuire 20 mn puis ajoutez les pois chiches. ● Réchauffez à part la semoule cuite et disposez-la en pyramide dans un plat. Ajoutez la viande et les légumes. ● Enfin, assaisonnez le bouillon avec une pincée de poivre puis mouillez la semoule.

L'accord parfait
CÔTES DU RHÔNE ROSÉ

Pour accompagner les textures différentes de ce couscous méditerranéen (semoule, viande, bouillon, légumes) et se marier avec ses arômes épicés, rien de tel qu'un Côtes du Rhône rosé. Frais et suffisamment structuré, il constituera vraiment l'accord idéal.
Autre proposition : Costières de Nîmes rouge.

Méditerranée

KEBAB D'AGNEAU

Plat

Pour 4 personnes

Préparation : 10 mn/Marinade : 30 mn

Cuisson : 10 mn

600 g de gigot d'agneau,
1 c. à café de thym séché,
1 c. à café de sumac (épice iranienne),
1 c. à café de graines de sésame,
1 c. à café d'ail surgelé,
1 c. à soupe de zeste de citron confit,
1 c. à soupe de gros sel,
3 c. à soupe + 10 cl d'huile d'olive, sel, poivre.

● Placez le thym, le sumac, les graines de sésame et le gros sel dans un mortier et réduisez en poudre à l'aide d'un pilon. ● Faites mariner le gigot d'agneau coupé en cubes dans 3 c. à soupe d'huile d'olive avec le mélange moulu et placez 30 mn au frais. ● Préchauffez le gril du four ou préparez le barbecue. ● Enfilez les cubes d'agneau sur des broches et faites griller pendant 2 mn de chaque côté. ● Mélangez le reste d'huile d'olive avec l'ail et le zeste de citron confit hachés. Salez et poivrez. Mélangez. ● Servez les brochettes d'agneau avec des pains pitas réchauffés sous le gril, des courgettes grillées, des tomates-cerises, des oignons rouges émincés et la sauce au citron confit.

L'accord parfait
CŌTES DU RHŌNE ROUGE

Agneau et vin rouge, mariage d'amour… La règle s'impose naturellement et s'applique particulièrement au Côtes du Rhône rouge. Fruité, souple et agréable, il lui faut du thym, de l'ail et des épices pour s'épanouir pleinement. Bref, tout ce que l'on trouve dans le kebab.
Autre proposition : Luberon rouge.

Méditerranée

SALADE DE FIGUES, JAMBON DE PARME, MELON, FETA

Entrée

Pour 6 personnes

Préparation : 10 mn/Au frais : 15 mn

8 figues, 1 melon,
300 g de jeunes pousses de salade,
180 g de feta,
100 g de jambon de Parme.
<u>Pour la sauce :</u>
1 oignon frais ou 1 échalote,
1 c. à café de moutarde forte,
1 c. à café de miel,
2 c. à soupe de vinaigre de cidre,
4 c. à soupe d'huile d'olive,
sel, poivre du moulin.

● Lavez les figues, égouttez-les et coupez-les en quatre. ● Coupez le melon en deux, retirez les graines et coupez la chair en fines tranches ou en quartiers. ● Lavez les jeunes pousses de salade et essorez-les. Egouttez la feta et coupez-la en dés. ● Pelez et hachez l'oignon (ou l'échalote), mettez-le dans un saladier avec la moutarde, le miel, le vinaigre, l'huile, du sel, du poivre en remuant. Ajoutez la salade, la feta, les figues, le melon et le jambon coupé en lanières. ● Mélangez délicatement en soulevant les ingrédients et réservez au frais 15 mn avant de servir.

L'accord parfait
TAVEL

Figues, melon et jambon sont faits pour s'entendre. A ce mélange sucré-salé, il faut un rosé de caractère comme le Tavel. Ses arômes de fruits à noyau enrichiront la palette aromatique des mets, tandis que sa bouche puissante soutiendra l'ensemble.
Autre proposition : Côtes du Rhône rosé.

Méditerranée

TABOULÉ LIBANAIS

Plat

Pour 6 personnes

Préparation : 15 mn/Pas de cuisson

Repos : 15 mn minimum

300 g de boulgour fin,
3 tomates (ou 15 tomates-cerises),
1 concombre,
6 petits oignons frais (ou 1 oignon rouge),
le jus de 4 citrons, 6 c. à soupe d'huile d'olive,
1 gros bouquet de menthe,
1 gros bouquet de persil,
50 g de feta ou de fromage frais, sel, poivre.

● Lavez, coupez et épépinez les tomates, puis coupez-les en petits cubes. ● Lavez le concombre, épluchez-le (facultatif), coupez-le en deux, retirez les graines au centre puis détaillez-le en petits cubes. ● Otez les racines des oignons puis hachez-les. ● Lavez, séchez et ciselez menthe et persil. ● Dans un grand saladier, versez le jus de citron, l'huile d'olive, le concombre, du sel et du poivre. ● Versez le boulgour et mélangez à l'aide d'une fourchette. Ajoutez les oignons, les tomates, la feta émiettée grossièrement et les herbes. ● Mélangez et laissez reposer 15 mn minimum au frais.

L'accord parfait
CÔTES DU RHÔNE ROSÉ

Céréales et légumes frais, le taboulé raconte une Méditerranée éternelle. Il appelle un vin fruité et croquant, servi bien frais. Rien de mieux que le Côtes du Rhône rosé qui, en plus de ces qualités, apporte des arômes d'épices et un peu de structure tannique en bouche.
Autre proposition : Côtes du Rhône blanc.

Méditerranée

TAJINE D'AGNEAU AUX PETITS POIS À LA MENTHE

Plat

Pour 4 personnes

Préparation : 10 mn/Cuisson : 1 h

1 kg de collier d'agneau coupé en morceaux,
600 g de petits pois surgelés
(ou 1 kg de petits pois frais en cosses),
4 gousses d'ail,
1 bouquet de menthe fraîche,
3 c. à soupe d'huile d'olive,
1 c. à café de curcuma (facultatif),
sel, poivre du moulin.

● Pelez, dégermez et coupez les gousses d'ail en lamelles. ● Lavez, séchez et effeuillez la menthe. Réservez quelques belles feuilles, hachez grossièrement les autres. ● Faites dorer les morceaux d'agneau dans l'huile d'olive en les poudrant de curcuma. Salez, poivrez, ajoutez la menthe hachée et l'ail. Couvrez et laissez mijoter 30 mn à couvert. ● Ensuite, couvrez l'agneau de petits pois et poursuivez la cuisson 20 mn à couvert. 10 mn avant la fin de la cuisson, mélangez délicatement. Si le tajine manquait de jus, versez un petit peu d'eau. ● Servez avec les feuilles de menthe fraîches réservées.

L'accord parfait
CROZES-HERMITAGE ROUGE

Toutes les saveurs du Maroc se retrouvent dans ce plat printanier qui appelle un vin complexe et puissant. Le Crozes-Hermitage possède les notes épicées et poivrées qui conviennent ainsi qu'une bouche gracieuse et vive, idéale pour accompagner l'agneau.
Autre proposition : Côtes du Rhône Villages rouge.

Méditerranée

TARTARE DE THON ET D'AUBERGINE À LA GRENADE

Entrée 🎩🎩🎩

Pour 4 personnes

Préparation : 1 h/Marinade : 15 mn

Pas de cuisson

300 g de thon très frais,
1 petite aubergine violette,
1 petite grenade bien mûre,
1 c. à soupe de jus de citron vert, huile d'olive,
1 trait de sauce soja,
1 petit bouquet de coriandre,
1 poignée de roquette,
poivre, fleur de sel.

● Coupez l'aubergine en dés et poêlez-les vivement quelques minutes à l'huile d'olive, puis réservez-la sur du papier absorbant. ● Coupez le thon en petits dés, saupoudrez-le de fleur de sel et réservez au frais.
● Egrainez la grenade et réservez-la au frais.
● Préparez la marinade en mélangeant 1 c. à soupe d'huile d'olive, la sauce soja et le jus de citron vert.
● Réunissez le thon, l'aubergine et la grenade et arrosez-les de la marinade. Poivrez, salez légèrement, mélangez et réservez au frais 15 mn. ● Au moment de servir, ajoutez les feuilles de coriandre fraîche et de roquette et vérifiez l'assaisonnement. Dressez les tartares en cercles accompagnés de tranches de baguette toastées.

L'accord parfait
CÔTES DU RHÔNE BLANC

Tartare de thon et citron vert : ce plat rafraîchissant exige un vin blanc délicat d'une belle suavité. Tout en finesse, le Côtes du Rhône blanc lui apportera ses arômes floraux et fruités, ainsi que sa rondeur et sa vivacité. Une belle harmonie estivale !
Autre proposition : Ventoux blanc.

Méditerranée

TARTE AUX FIGUES DU DOURO

Dessert 👨‍🍳

Pour 6-8 personnes

Préparation : 30 mn/Cuisson : 35 mn

Repos : 30 mn

1 kg de figues vertes, 1 citron,
250 g de farine, 400 g de sucre,
50 g de beurre,
75 g de poudre d'amande,
10 amandes entières,
2 œufs + 1 jaune.

● Préparez la pâte. Mélangez la farine avec 50 g de sucre, le jaune d'œuf, le beurre et un peu d'eau froide, juste assez pour que la pâte se forme. Laissez reposer 30 mn. ● Nettoyez les deux tiers des figues (700 g environ). Otez les queues et coupez-les en morceaux. Pressez le citron. Faites cuire les figues avec le jus de citron et 300 g de sucre jusqu'à ce qu'elles soient confites, pendant 20 mn environ. ● Pendant ce temps, réchauffez le four th. 6/180°. Etalez la pâte dans un moule beurré, piquez-la avec une fourchette et faites-la cuire 20 mn. Otez-la du four. ● Mélangez la poudre d'amande avec 50 g de sucre et 2 œufs. Etalez sur le fond de tarte et faites cuire à nouveau 10 mn. Otez du four, étalez la compote de figues et disposez par-dessus des demi-figues fraîches et les amandes entières. Faites cuire au four 5 mn.

L'accord parfait
MUSCAT DE BEAUMES DE VENISE

Fruit du Midi, la figue appelle un muscat de Beaumes de Venise, vin doux naturel aux arômes de fleurs et d'agrumes teintés de quelques notes exotiques. Sa douceur et sa longueur en bouche en font le vin de dessert par excellence. Autre proposition : Côtes du Rhône blanc.

Méditerranée

THON PRESQUE CRU AUX TOMATES SEMI-CONFITES

Plat

Pour 6 personnes

Préparation : 20 mn/Cuisson : 1 h

900 g de thon rouge dans le filet préparé en petit rôti,
6 branches de tomates-cerises,
1 bouquet de basilic effeuillé,
4 c. à soupe de sauce soja,
1 c. à soupe de sucre en poudre,
le jus de 1/2 citron vert, 2 c. à soupe d'huile d'olive,
fleur de sel, poivre du moulin.

● Demandez à votre poissonnier de préparer le thon en 1 ou 2 petits rôtis, d'épaisseur uniforme (entre 8 et 10 cm). Préchauffez le four th. 3/90°. ● Dans un plat à four huilé, disposez les branches de tomates-cerises lavées. Arrosez d'un filet d'huile d'olive, de 2 c. à soupe de sauce soja, saupoudrez de sucre et poivrez légèrement. Enfournez pour 1 h, en veillant à ce que les branches des tomates ne brûlent pas (si c'est le cas, laissez la porte du four entrouverte). ● Pendant ce temps, faites chauffer de l'huile dans une sauteuse, et faites frire les feuilles de basilic petit à petit, puis posez-les sur du papier absorbant. ● 10 mn avant la fin de la cuisson des tomates, faites chauffer une poêle légèrement huilée et saisissez sur feu vif le rôti de thon pendant 3 à 4 mn. ● Otez-le de la poêle, réservez au chaud. ● Laissez la poêle sur feu moyen. Versez 2 c. à soupe de sauce soja et le jus de citron vert, grattez les sucs de cuisson, réservez. ● Découpez le rôti en tranches et disposez-les dans les assiettes avec les tomates et le basilic. Arrosez du jus soja-citron et d'un filet d'huile d'olive, donnez un tour de moulin à poivre.

L'accord parfait
CORNAS ROUGE

Par sa texture et son goût puissant, le thon rouge se rapproche de la viande rouge. Une ressemblance qui permet de se tourner vers un rouge de caractère comme le Cornas. Assez tannique, sa générosité fera merveille et ses arômes se mêleront agréablement à ceux des tomates confites et du basilic.
Autre proposition : Crozes-Hermitage rouge.

Méditerranée

TORTILLAS DE BŒUF ÉPICÉ, HARICOTS VERTS AUX NOIX DE CAJOU

Plat

Pour 6 personnes

Préparation : 20 mn/Cuisson : 15 mn

Marinade : 1 h à 3 h

6 tortillas, 600 g de rumsteck, 600 g de haricots verts, 2 oignons frais, 1 poignée de feuilles de betterave, 50 g de noix de cajou, 200 g de houmous, 1 c. à café de gelée de piment d'Espelette, 1 pincée de piment d'Espelette, 1 gousse d'ail écrasée, 3 c. à soupe de vinaigre de vin blanc, 2 c. à soupe d'huile de soja, 6 c. à soupe d'huile d'arachide, 1 filet d'huile d'olive, sel, poivre.

● A l'aide d'un pinceau, enduisez le rumsteck de gelée de piment d'Espelette. Couvrez d'un film alimentaire et laissez mariner au frais de 1 h à 3 h. ● Faites cuire les haricots verts dans une grande quantité d'eau bouillante pendant 10 mn, ils doivent rester fermes. Egouttez, rincez à l'eau froide, égouttez à nouveau. ● Mixez les noix de cajou pour les réduire en petits morceaux. Faites-les ensuite dorer pendant 2 mn dans une poêle. ● Préparez l'assaisonnement des haricots verts avec les noix de cajou, la gousse d'ail écrasée, le vinaigre, l'huile de soja, l'huile d'arachide, du sel et du poivre. Versez l'assaisonnement sur les haricots verts et mélangez. ● Emincez les oignons. Lavez les feuilles de betterave. Disposez houmous, oignons et feuilles de betterave dans des coupelles, et les tortillas sur un plat. ● Faites chauffer une poêle arrosée d'un filet d'huile d'olive et saisissez rapidement le rumsteck 2 mn de chaque côté. Détaillez-le en lamelles, disposez-les dans un plat et saupoudrez de piment d'Espelette. ● Proposez tous les ingrédients à vos invités. Etalez 1 c. à soupe de houmous sur chaque tortilla, ajoutez des oignons, des feuilles de betterave et des lamelles de rumsteck et roulez la tortilla. Accompagnez de la salade de haricots verts aux noix de cajou.

L'accord parfait
GIGONDAS ROUGE

Ce plat à la mode, relevé d'épices, devra s'accompagner d'un vin puissant et généreux qui ne se laissera pas emporter par les aromates. Le riche bouquet de fruits et de kirsch du Gigondas sera à la hauteur, l'élégance en plus.
Autre proposition : Côtes du Rhône Villages rouge.

Méditerranée

VEAU MIJOTÉ À LA MAROCAINE

Plat

Pour 6 personnes

Préparation : 20 mn/Cuisson : 1 h 30

1 kg d'épaule (ou de flanchet) coupée en morceaux,
6 artichauts poivrades,
le jus de 1 citron,
1/2 citron non traité,
4 branches de thym frais,
4 c. à soupe d'huile d'olive,
6 gousses d'ail nouveau,
6 abricots secs,
1/2 c. à café de graines de cumin,
1 c. à café de piment,
sel, poivre du moulin.

● Préparez les artichauts. Versez le jus de citron dans une jatte d'eau froide. Otez les feuilles dures des poivrades en les cassant à la base, puis coupez le bout des autres pour ne garder que leur partie tendre. ● Ensuite, tranchez en deux chaque poivrade, enlevez le foin, s'il y en a. Lorsque les poivrades sont petits et jeunes, cette opération n'est pas nécessaire. ● Plongez-les au fur et à mesure dans l'eau citronnée. ● Lavez et séchez le thym. ● Coupez le 1/2-citron en petits morceaux. ● Faites chauffer l'huile dans une cocotte en fonte. ● Faites dorer les morceaux de viande avec les gousses d'ail. Ensuite, ajoutez les morceaux de citron, les abricots secs, le cumin, le piment, du sel et du poivre. ● Posez les artichauts et le bouquet de thym sur la viande de veau, versez 2 c. à soupe d'eau, couvrez et laissez mijoter 1 h 30. Si le jus de cuisson venait à manquer, ajoutez un peu d'eau en cours de cuisson. ● Au moment de servir, mélangez intimement tous les ingrédients.

L'accord parfait
VACQUEYRAS ROUGE

Acidité du citron, douce amertume de l'artichaut et rondeur de l'abricot, ce plat réclame un vin à la fois délicat et puissant. Il lui faut un Vacqueyras rouge dont les subtils arômes de fruits mûrs et d'épices se conjuguent à une bouche généreuse et charnue.
Autre proposition : Gigondas rouge.

Evasion en Asie

L'Asie, c'est avoir le grand lointain à sa porte, un mélange d'exotisme extrême et de déjà-vu. Ceux qui n'ont jamais goûté aux litchis à la rose, au tartare thaï ou au tende-de-tranche assorti d'un wok de légumes seront surpris par cette cuisine pleine de subtilité et de fraîcheur, que l'on savourera accompagnée d'un Côtes du Rhône blanc ou d'un prestigieux rosé de Tavel pour les plats plus épicés comme le cultissime Bo Bun.

Asie

AVOCAT, CREVETTE ET PAMPLEMOUSSE EN SUSHI

Plat

Pour 4 personnes/16 sushis

Préparation : 20 mn/Cuisson : de 15 à 20 mn

Egouttage du riz : 1 h/Repos : 20 mn

1 avocat, 16 crevettes décortiquées,
1 pamplemousse rose, 300 g de riz japonais,
quelques brins de ciboulette, wasabi.
<u>Pour la sauce aigre-douce :</u>
4 c. à soupe de jus de pamplemousse,
1 c. à café de Tabasco rouge,
1 c. à soupe de sirop de canne.

● Rincez le riz plusieurs fois jusqu'à ce que l'eau soit limpide. ● Laissez-le égoutter 1 h, puis versez-le dans une casserole, couvrez d'eau – 1 cm au-dessus de la surface du riz. Portez à ébullition, puis laissez cuire à feu doux jusqu'à ce que le riz absorbe toute l'eau. ● Retirez alors du feu, posez un linge sur la casserole, puis un couvercle, et laissez reposer pendant 20 mn. ● Pour la sauce, mélangez le jus de pamplemousse, le Tabasco et le sirop de canne durant la cuisson du riz. ● Pelez, puis coupez l'avocat en fines lamelles. Lavez et séchez les brins de ciboulette. Détachez et pelez délicatement les quartiers de pamplemousse. ● Prenez un peu de riz entre vos doigts et confectionnez une petite boulette oblongue. Aplatissez-la légèrement, pimentez-la d'un peu de wasabi. ● Posez dessus 1 lamelle d'avocat, 1 crevette et 1 quartier de pamplemousse. Maintenez le sushi avec un brin de ciboulette et réservez au réfrigérateur. Procédez ainsi pour les 16 sushis. Servez-les accompagnés de la sauce aigre-douce.

L'accord parfait
CÔTES DU RHÔNE VILLAGES BLANC

Ce raffinement tout japonais réclame un vin blanc vif et parfumé qui ne craint pas les épices. C'est le cas du Côtes du Rhône Villages blanc qui offre également de jolis arômes frais et floraux se mariant particulièrement bien avec le pamplemousse et l'avocat.
Autre proposition : Ventoux blanc.

Asie

BO BUN

Plat 👨‍🍳👨‍🍳

Pour 6 personnes

Préparation : 35 mn/Cuisson : 6 mn

Marinade : 30 mn

600 g de bœuf (filet ou rumsteck),
200 g de vermicelles de riz, 3 gousses d'ail,
3 tiges de citronnelle, 2 carottes (bio de préférence),
100 g de cacahuètes concassées,
quelques brins de menthe, quelques feuilles de laitue,
3 c. à soupe de sauce nuoc-mâm, 2 c. à soupe d'huile,
15 cl de sauce pour nems.

● Demandez au boucher de couper la viande de bœuf en fines lamelles. ● Epluchez l'ail. Ecrasez l'une des gousses dans le presse-ail et émincez grossièrement les autres. Retirez les feuilles dures de la citronnelle et coupez le reste en fines rondelles. ● Dans un plat creux, déposez la viande, recouvrez d'ail, de citronnelle, de nuoc-mâm et d'huile. Mélangez, couvrez et laissez mariner 30 mn. ● Lavez les carottes, coupez leurs extrémités, et passez-les à la râpe à gros trous. ● Lavez puis séchez la menthe et la laitue. Coupez les feuilles de laitue en lanières. Effeuillez et ciselez la menthe. ● Faites bouillir un grand volume d'eau salée. Plongez-y les vermicelles de riz et laissez cuire 3 ou 4 mn (selon leur marque). Egouttez-les et passez-les sous l'eau froide. Répartissez-les dans 6 bols, accompagnés des carottes râpées, de la menthe et de la laitue. ● Faites cuire rapidement la viande dans une poêle sur feu vif, puis répartissez-la dans les bols. Filtrez la marinade, versez-la sur le contenu des bols et parsemez de cacahuètes. La sauce pour nems reste à part.

L'accord parfait
CÔTES DU RHÔNE ROSÉ

Pour ce classique de la cuisine vietnamienne, rien de tel qu'un Côtes du Rhône rosé. Ses arômes fruités et épicés répondront aux saveurs de la menthe et de la cacahuète, tandis que sa jolie structure en bouche soutiendra la dégustation du bœuf et des vermicelles.

Asie

CREVETTES SAUTĒES AUX LĒGUMES

Plat

Pour 4 personnes

Préparation : 10 mn/Cuisson : 10 mn

450 g de crevettes surgelées,
2 oignons,
250 g de cocos plats,
250 g de pois gourmands,
150 g de tofu,
1 c. à café d'huile d'olive,
persil plat, coriandre, basilic,
gomasio (sel aux graines de sésame),
poivre du moulin.

● Préparez tous les légumes : pelez et émincez les oignons, effilez les cocos plats et les pois gourmands, et lavez-les. ● Faites chauffer l'huile d'olive dans un wok, ajoutez les crevettes surgelées et les légumes. Poivrez et faites cuire sur feu vif pendant 10 mn en remuant souvent. ● Au tout dernier moment, ajoutez les herbes ciselées, le tofu coupé en morceaux puis saupoudrez de gomasio. Servez aussitôt.

L'accord parfait
TAVEL

La chair ferme et délicate des crevettes s'harmonisera avec le Tavel. Véritable rosé de gastronomie, ses arômes de fruits à noyau et d'amande grillée conviennent en effet merveilleusement bien aux saveurs de la cuisine asiatique.
Autre proposition : Côtes du Rhône rosé.

Asie

CURRY DE DINDE AUX NOIX DE CAJOU ET RIZ BASMATI AU SAFRAN

Plat ♨

Pour 4 personnes

Préparation : 20 mn/Cuisson : 40 mn

<u>Pour le curry :</u>
800 g de filet de dinde, 100 g de noix de cajou,
50 cl de lait de coco, 2 c. à café d'huile végétale,
1 oignon, 1 bâton de cannelle, 500 g de coulis
de tomate, 1 yaourt nature, 1 c. à café de curcuma,
4 c. à café de massala, 1 c. à café de coriandre,
1/2 c. à café de sel, feuilles de coriandre fraîche.

<u>Pour le riz :</u>
400 g de riz long basmati, 1 oignon jaune,
1 c. à soupe d'huile d'arachide, 2 pincées de safran.

● Pour le curry : faites chauffer l'huile dans une marmite. Epluchez l'oignon, tranchez-le. Faites-le revenir avec le bâton de cannelle, laissez dorer à feu doux, puis ajoutez le coulis de tomate et laissez cuire pendant 5 mn. ● Dans un bol, battez le yaourt avec le curcuma, le massala, la coriandre en poudre et le sel. ● Ajoutez le mélange à la marmite et laissez mijoter pendant 15 mn. ● Ajoutez le filet de dinde découpé en lamelles, les noix de cajou et le lait de coco. Laissez mijoter durant 20 mn pour obtenir une sauce épaisse. Avant de servir, garnissez de coriandre fraîche. ● Pour le riz : épluchez l'oignon et hachez-le finement. Dans une sauteuse, faites-le dorer dans l'huile. ● Lavez le riz. Versez-le dans la sauteuse et remuez 1 mn. Arrosez de 30 cl d'eau, ajoutez le safran. ● Salez, poivrez et, à feu doux, laissez le liquide s'évaporer en remuant. Ajoutez 30 cl d'eau et laissez cuire à découvert jusqu'à ce que le riz absorbe le liquide.

L'accord parfait
VACQUEYRAS ROUGE

Mélange d'épices relevées, le curry doit épouser un rouge de caractère. Le Vacqueyras n'en manque pas. Son bouquet de fruits mûrs et d'épices conviendra également au safran et sa puissance en bouche tiendra tête aux multiples parfums de ce plat.
Autre proposition : Beaumes de Venise rouge.

Asie

FILETS SAUTĒS AUX LĒGUMES FAÇON THAÏ

Plat 🍳

Pour 4 personnes

Préparation : 10 mn/Cuisson : 11 mn

400 g de filet mignon de porc,
150 g de mélange de riz et de légumes secs
(riz thaï, lentilles vertes, lentilles rouges, soja),
200 g de petits bouquets de brocoli,
200 g de carottes râpées,
2 c. à soupe de noix de cajou.
<u>Pour la marinade :</u>
4 c. à soupe de sauce soja,
2 c. à soupe d'huile de sésame,
2 c. à soupe de miel.

● Pour la marinade : mélangez, dans un bol, la sauce soja, l'huile de sésame et le miel. ● Coupez le filet mignon de porc en lanières de 1 cm d'épaisseur. ● Faites mariner la viande dans la préparation sauce soja-sésame-miel. ● Pendant ce temps, faites cuire le mélange de riz et de légumes secs dans une casserole d'eau bouillante salée durant 5 mn. ● Ajoutez le brocoli et poursuivez la cuisson 4 mn. ● Pendant ce temps, égouttez grossièrement la viande puis faites-la dorer dans une poêle antiadhésive sur feu vif, en remuant souvent, pendant 2 mn. ● Lorsque le mélange riz-légumes est cuit, égouttez et versez le tout dans la poêle avec la viande. Mouillez avec 2 c. à soupe de marinade et mélangez délicatement. ● Ajoutez les carottes râpées et les noix de cajou. Mélangez à nouveau et servez.

L'accord parfait
COTEAUX DU TRICASTIN ROUGE

Du miel et du soja, du porc sauté et des carottes fraîches, ce plat joue sur les contrastes sucré-salé, chaud-froid... Pour ne pas en rajouter dans les oppositions, il lui faudra un vin tout en rondeur, à la fois vif et chaleureux, comme le Coteaux du Tricastin rouge.
Autre proposition : Côtes du Rhône rouge.

Asie

LITCHIS À LA ROSE

Dessert

Pour 4 personnes

Préparation : 10 mn/Cuisson : 5 mn

Repos : 30 mn

32 litchis frais,
2 c. à soupe de pétales
de rose séchés,
2 c. à soupe de sucre,
4 dragées.

● Pelez et dénoyautez les litchis. ● Portez 10 cl d'eau
à ébullition, puis faites-y infuser les pétales de rose
10 mn à couvert. ● Filtrez l'infusion, mélangez-la avec
le sucre et versez-la sur les litchis. ● Laissez macérer
30 mn au réfrigérateur. ● Servez les litchis rafraîchis
parsemés de dragées concassées.

L'accord parfait
MUSCAT DE
BEAUMES DE VENISE

Un seul vin est capable de répondre à la saveur
exotique de ce dessert fruité fleuri : le muscat de
Beaumes de Venise. Ses arômes exubérants de
fleurs et d'agrumes se mêleront tout en douceur
aux parfums des litchis et des pétales de rose.
Un vrai bonheur !
Autre proposition : Tavel.

Asie

POULET AU CURRY

Plat

Pour 4 personnes

Préparation : 15 mn/Cuisson : 1 h 30

5 blancs de poulet fermier,
2 oignons, 2 gousses d'ail,
1 boîte de lait de coco, curry,
1/2 bouquet de coriandre,
3 ou 4 c. à soupe d'huile d'olive,
sel, poivre.

● Dans une sauteuse, faites revenir les oignons émincés dans 2 c. à soupe d'huile d'olive. Retirez-les.
● Dans la même sauteuse, ajoutez les blancs de poulet. Faites-les dorer (au besoin, ajoutez 1 c. à soupe d'huile d'olive) sur toutes les faces. ● Sortez-les, égouttez-les. ● Versez 1 c. à soupe d'huile d'olive dans la sauteuse, remettez les oignons cuits, les blancs de poulet et les gousses d'ail pelées et écrasées. Versez le lait de coco, ajoutez du curry, salez et poivrez.
● Ajoutez 1 verre d'eau et laissez cuire à couvert 30 mn à feu moyen. Baissez le feu, ôtez le couvercle, et laissez mijoter à feu doux 30 mn. ● Rectifiez l'assaisonnement et, hors du feu, ajoutez la coriandre lavée, séchée et coupée grossièrement.

L'accord parfait
CROZES-HERMITAGE ROUGE

Grâce à ses puissantes notes épicées et son fruité intense, le Crozes-Hermitage rouge se mariera avec les arômes si particuliers du curry, tout en apportant la structure souple qui convient à la volaille.
Autre proposition : Ventoux rouge.

Photo Alain Gelberg / Recette Sandrine Giacobetti et Marion Bellin

Asie

POULET PANĒ AUX CACAHUĒTES WASABI

Plat

Pour 4 personnes

Préparation : 15 mn/Cuisson : 15 mn

4 blancs de poulet, 150 g de cacahuètes
au wasabi, 4 c. à soupe de farine, 1 œuf battu,
2 c. à soupe d'huile d'arachide.
Pour la sauce : 1 c. à soupe de sauce soja,
1 citron vert, 2 c. à soupe d'huile de cacahuète grillée,
1 pincée de piment fort.

● Hachez finement les cacahuètes au wasabi et mettez-les dans une assiette. ● Placez la farine dans une
assiette, l'œuf battu dans une autre. ● Passez les
blancs de poulet un par un dans la farine, puis dans
l'œuf battu et, enfin, dans les cacahuètes hachées.
● Faites chauffer l'huile d'arachide et faites revenir les
blancs de poulet 5 mn de chaque côté. ● Terminez la
cuisson 5 mn au four préchauffé à 180 °C (th. 6).
● Servez avec du riz et des légumes vapeur assaison-
nés avec le mélange sauce soja, jus de citron vert,
huile de cacahuète grillée et piment fort.

L'accord parfait
GIGONDAS ROUGE

Ce plat aiguisé par le wasabi et le piment trouvera un allié pertinent avec le Gigondas. Son
ample bouquet de fruits noirs, de kirsch et de poivre, sa puissante structure tannique sauront s'harmoniser avec les saveurs relevées de la recette.
Autre proposition : Vinsobres rouge.

Asie

ROULEAUX DE PRINTEMPS

Plat ♔♔♔

Pour 2 personnes

Préparation : 20 mn/Pas de cuisson

2 grandes feuilles de riz,
8 crevettes,
1/2 petite mangue,
1 petite courgette jeune,
1/2 mini-concombre,
1/2 carotte, 4 radis roses,
50 g de graines germées.
<u>Pour la sauce aigre-douce :</u>
1 c. à soupe de Tabasco,
1 c. à soupe de vinaigre balsamique,
2 c. à soupe de miel d'acacia.

● Posez les feuilles de riz entre deux linges humides afin de les ramollir. ● Décortiquez les queues des crevettes et fendez-les en deux dans leur longueur. ● Pelez la mangue et émincez-la. ● Détaillez en bâtonnets la courgette et le concombre. ● Pelez la carotte et détaillez-la en lamelles avec un économe. Lavez, puis coupez les radis en fines rondelles. ● Décollez les feuilles de riz des linges avec précaution, puis posez-les sur une assiette. Etalez un lit de mangue sur une feuille. Posez dessus des crevettes, des graines germées, des lamelles de carotte, des bâtonnets de courgette et de concombre et des rondelles de radis, puis couvrez à nouveau de mangue. ● Roulez la feuille de riz en rabattant les côtés. Maintenez le rouleau bien serré et couvrez d'un film alimentaire. Recommencez avec la seconde feuille de riz et gardez au frais. ● Mélangez les ingrédients destinés à la sauce aigre-douce. Servez les rouleaux avec la sauce.

L'accord parfait
CÔTES DU RHÔNE ROSÉ

Croquants, moelleux et parfumés, les rouleaux de printemps ont conquis les gourmands. Leurs saveurs éclectiques les conduisent naturellement vers un rosé des Côtes du Rhône. Avec sa couleur pastel, ses arômes de petits fruits rouges et son fruité gourmand, il épouse le tempérament fougueux de la cuisine orientale.
Autre proposition : Côtes du Rhône blanc.

Asie

SAUMON MARINĒ À LA CITRONNELLE

Plat 👨‍🍳👨‍🍳

Pour 12 personnes

Préparation : 25 mn/Marinade : 12 h

1 filet de saumon de 1,7 kg, 5 tiges de citronnelle,
10 feuilles de basilic, 100 g de gingembre frais,
100 g de sel, 80 g de sucre, 1 c. à soupe d'huile.
<u>Pour la sauce à la moutarde :</u>
2 œufs durs, 100 g de moutarde douce, 100 g de sucre,
3 c. à soupe de vinaigre de vin blanc,
10 cl d'huile, 1 bouquet d'aneth.

● Lavez, essuyez le saumon et ôtez les grosses arêtes.
● Préparez la citronnelle : ôtez les feuilles flétries et la moitié supérieure des tiges puis coupez-la en petits tronçons fins. ● Lavez et essuyez les feuilles de basilic, coupez-les en lanières. ● Pelez le gingembre et coupez-le en lamelles. ● Dans un saladier, mélangez le gingembre avec la citronnelle, le basilic, le sel et le sucre. ● Répartissez la moitié du mélange dans un plat, posez le filet de saumon dessus (la peau en dessous). Recouvrez avec le reste de sel aromatisé.
● Couvrez le poisson d'un film alimentaire et laissez-le mariner 12 h au réfrigérateur. ● Sortez-le puis ôtez le sel. Lavez le poisson sous un filet d'eau froide, essuyez-le avec du papier absorbant et, une fois bien sec, badigeonnez-le d'huile. ● Préparez la sauce : déposez les jaunes d'œufs hachés grossièrement dans un récipient haut. Ajoutez la moutarde, le sucre, le vinaigre et l'huile. Mixez le tout. ● Lavez, séchez et effeuillez l'aneth. Hachez finement les feuilles et incorporez-les à la sauce. ● Emincez le poisson en lamelles et servez-le avec la sauce.

L'accord parfait
CONDRIEU

Le cépage viognier procure au Condrieu de puissants arômes de fleurs et d'abricot, ainsi qu'une belle rondeur, qui conviendront à ce saumon mariné. Sans compter que son acidité mesurée tempérera celle de la citronnelle.
Autre proposition : Saint-Péray blanc.

Asie

SAUTÉ DE PORC AU SOJA

Plat

Pour 4 personnes

Préparation : 5 mn/Cuisson : 20 mn

1 filet mignon de porc (500 g),
1 oignon,
1 aubergine (250 g),
150 g de riz,
1 c. à café de miel,
4 c. à soupe de sauce soja,
1 c. à soupe d'huile d'olive,
sel, poivre du moulin.

● Coupez la viande de porc en morceaux. Pelez et hachez l'oignon. Lavez l'aubergine et coupez-la en dés. ● Faites chauffer l'huile d'olive dans un wok, faites revenir la viande et l'oignon sur feu vif pendant 2 mn. Ajoutez le riz et l'aubergine. Faites sauter encore pendant 5 mn. ● Ajoutez le miel, la sauce soja et 2 verres d'eau, puis laissez cuire sur feu vif pendant 13 mn. ● Salez et poivrez. Servez.

L'accord parfait
LIRAC ROUGE

Enveloppée d'une carapace caramélisée, la chair de ce sauté de porc encore fondante réclame un vin rouge à la fois fruité, ample et charnu. Le Lirac rouge possède ces qualités avec sa belle robe grenat, son bouquet de fruits rouges et sa solide structure tannique.
Autre proposition : Costières de Nîmes rosé.

Asie

TARTARE THAÏ ALLER-RETOUR

Plat

Pour 4 personnes

Préparation : 5 mn/Cuisson : 2 mn

600 g de bœuf haché,
2 gousses d'ail, 2 échalotes pelées,
1 bouquet de coriandre fraîche,
2 branches de basilic thaï ou de basilic français,
3 branches de citronnelle fraîche,
2 c. à café de gingembre frais râpé,
4 c. à café de cumin en poudre,
2 c. à café de coriandre en poudre,
2 c. à café de poivre concassé,
1 c. à café de sucre,
2 c. à soupe d'huile d'olive, sauce soja.

● Ecrasez l'ail. Hachez finement les échalotes, la coriandre fraîche, le basilic et les branches de citronnelle. Ajoutez le gingembre râpé. ● Mettez cette préparation dans un saladier avec la viande hachée. Ajoutez le cumin et la coriandre en poudre, le poivre concassé, le sucre et l'huile. Pétrissez pour bien mélanger tous les ingrédients. ● Partagez en quatre portions. Moulez chaque portion à l'aide d'un ramequin en tassant bien. Démoulez à l'aide d'une fourchette et mettez à cuire sur le barbecue 1 mn de chaque côté. Chacun assaisonnera avec la sauce soja.

L'accord parfait
VENTOUX ROUGE

Pour accompagner l'explosion de saveurs qui caractérise ce tartare thaï, rien de tel qu'un Ventoux rouge. Doté d'arômes de fruits rouges, assez vif et plutôt rond en bouche, il combinera toutes les qualités indispensables pour un accord parfait.
Autre proposition : Luberon rouge.

Asie

TENDE-DE-TRANCHE ET WOK

Plat

Pour 4 personnes

Préparation : 20 mn/Cuisson : 15 mn

3 morceaux épais de tende,
250 g de pois gourmands,
250 g de cocos plats,
150 g de petits pois déjà écossés,
1 piment, 2 gousses d'ail, 4 oignons tiges,
1 noix de gingembre,
huile d'olive, beurre,
1 c. à soupe de graines de sésame grillées,
sel, poivre du moulin.

● Lavez, effilez les pois gourmands et les cocos plats. Faites-les blanchir 5 mn dans de l'eau bouillante salée, puis égouttez-les. ● Emincez le piment en lanières. ● Pelez l'ail et les oignons. Hachez l'ail et émincez les oignons tout en gardant un peu de tige. ● Epluchez le gingembre et râpez-le. ● Faites chauffer un peu d'huile dans un wok et déposez tous les ingrédients (dont les petits pois et le sésame) dedans, sauf la viande. Faites sauter sur feu vif pendant 5 mn, en remuant de temps en temps. Ajoutez 1/2 verre d'eau et laissez cuire encore 5 ou 6 mn. ● Pendant ce temps, faites cuire la viande dans une poêle avec un morceau de beurre, 2 mn de chaque côté, sur feu vif, pour une viande saignante, ou 3 mn pour une viande plus cuite. ● Laissez reposer la viande 5 mn, enveloppée dans du papier alu, avant de la découper. ● Salez et poivrez les légumes, ajoutez la viande coupée en gros morceaux et servez aussitôt.

L'accord parfait
VINSOBRES ROUGE

Cette recette exige un solide vin rouge qui saura épouser la tendresse de la viande et la saveur des haricots, sans se laisser emporter par les aromates. A la fois fruité et bien structuré, le Vinsobres rouge est le vin de la situation.
Autre proposition : Lirac rouge.

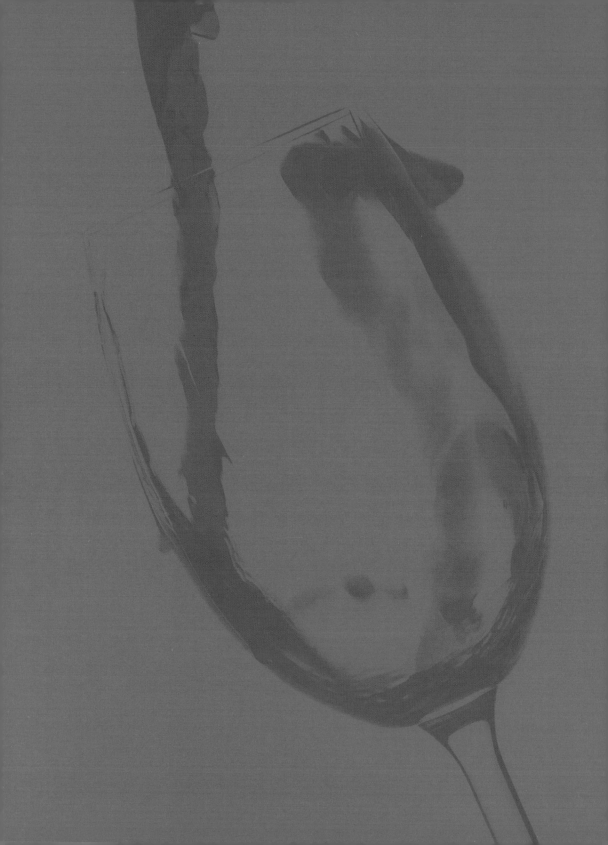

INDEX

Très facile 🍳   Facile 🍳🍳   Plus élaboré 🍳🍳🍳

Edité par HFA
149, rue Anatole-France
92534 Levallois-Perret Cedex, France
© HFA/ELLE À TABLE, 2009
Hachette Filipacchi Associés est une société du groupe Lagardère Active
ELLE ™ à table est une marque de Hachette Filipacchi Presse

Imprimé en Italie par l'imprimeur G. CANALE & C.
10071 Borgaro Torinese

Photograveur : HAFIBA SAS
11, rue de Rouvray, 92200 Neuilly-sur-Seine, France

Achevé d'imprimer en juin 2010
ISBN : 978-35710-067.1
Dépôt légal : mai 2010